Lügendichtung

THE SCRIBNER GERMAN SERIES

General Editor, HAROLD VON HOFE
University of Southern California

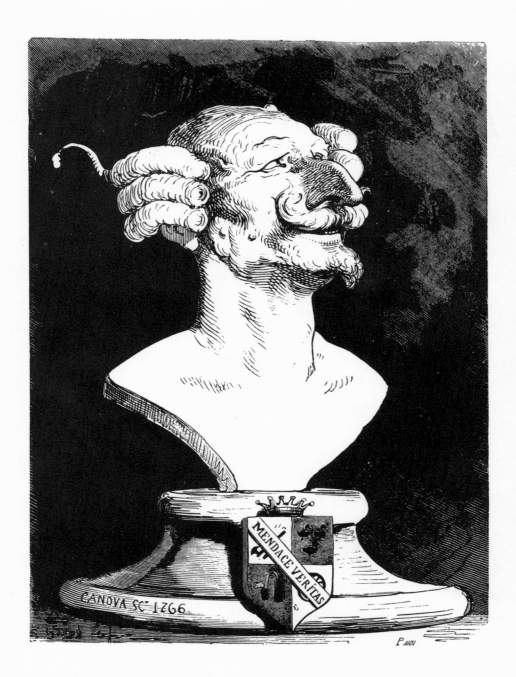

Lügendichtung

HAROLD VON HOFE
University of Southern California

JOSEPH STRELKA
Vienna

Charles Scribner's Sons

NEW YORK

Preface

The German prose style of *LÜGENDICHTUNG* has been adapted to the linguistic preparation of students who have had a solid year of high school German, a college semester of systematic work, or a portion of a semester devoted to intensive study. The text deals with a form of literary expression found in most of the literatures of the world—both ancient and modern, in the Western World, in the Orient, and in Africa. *LÜGENDICHTUNG* has been more voluminous and has assumed more forms in German literature, however, than in most others.

Our first association with the concept of *LÜGENDICHTUNG* in the German language is the figure of Baron Karl Friedrich Hieronymus von Münchhausen (1720—1797). The Baron, an honorable person with an inventive turn of mind, was distressed when Rudolf Erich Raspe (1737—1794) and Gottfried August Bürger (1747—1794) made of him the *Lügenbaron* who immediately gained international fame. In his own eyes, it was notoriety and a source of bitterness.

Münchhausen lived on in literature, however, as the teller of incredible tales. Numerous German writers, from the eighteenth to the twentieth century, wrote novels or dramas in which Münchhausen was the principal character. At the same time, new editions and adaptations of Bürger's version appear year after year. Münchhausen has become a symbolic figure — like Ulysses, Don Quixote, Hamlet, and Faust. Members of the large and distinguished family — some descendants of Baron Karl Friedrich Hieronymus von Münchhausen have been living in the United States of America for some time — told us that mere mention of the family name, not to speak of the telling of stories, calls forth skepticism.

Since *LÜGENDICHTUNG* and so-called *MÜNCHHAUSENIADE* have become synonymous, it is appropriate for the Baron to play a major role in a text of this sort. The work of Bürger forms the basis of the second chapter and the novel of Paul Scheerbart, *MÜNCHHAUSEN UND CLARISSA, EIN BERLINER ROMAN*, Berlin (Osterheld), 1906, that of the fourth. Since Bürger and Scheerbart present quite different pictures of Münchhausen, we pointed to the differences and traced the transformation of the *Lügenbaron* to the present day. At the same time, we placed him within a larger context by pointing to his literary antecedents in Germany and to comparable figures in world literature, from the writers of classical antiquity to the tellers of tall tales in America. The two long chapters — two and four — are thus framed by three short chapters — one, three, and five — which deal with literary history. It may be that some teachers will choose to begin with the second chapter because of the ease with which it can be read.

The German-English glosses should obviate, generally, the checking of words in the end vocabulary. Since it may be necessary to use an end vocabulary on occasion, however, we have provided it for the student, listing all words except obvious cognates and non-recurring words which are glossed when they do recur. Students may need the end vocabulary when working out the diverse exercises. They range from simple sentence completions to suggestions for composition on literary topics.

We should like to express our gratitude for help extended to the Niedersächsische Staatsarchiv, to the Münchhausen scholar Hans Mahrenholz, to Heino, Freiherr von Münchhausen, Apelern/Hannover, the nominal head of the family in Germany, and to Mr. and Mrs. Heyno von Münchhausen of New York City. Mr. Heyno von Münchhausen is the senior of the family in America.

H. v. H.
J. S.

Inhaltsverzeichnis

PREFACE   V

I. MÜNCHHAUSEN UND DIE DEUTSCHE LÜGENDICHTUNG   3

II. WUNDERBARE REISEN, FELDZÜGE UND ABENTEUER DES FREIHERRN VON
     MÜNCHHAUSEN *von* Gottfried August Bürger   19
     Meine Reise nach Rußland   21
     Jagdgeschichten   26
        Wildschweine   26
        Der sonderbare Hirsch   27
     Von Pferden und Hunden   29
        Mein Hühnerhund   29
        Der seltsame Hase   31
        Das litauische Pferd   31
     Als Gefangener bei den Türken   39
     Auf der Rückreise nach Deutschland   41
     Die Seeabenteuer   44
        Der Sturm   44
        Auf Ceylon   46
        Als Gefangener eines Fisches   49
        Der Luftballon   50
     Meine außerordentlichen Diener   54
     Beim Sultan   59
     Die Belagerung von Gibraltar   65
     Die Schleuder Davids   68
     Die Reise nach Ostindien   70
     Die Reise auf den Mond   72
     Die Reise durch die Welt   75

III.   MÜNCHHAUSEN VOM 18. BIS ZUM 20. JAHRHUNDERT   *83*

IV.   MÜNCHHAUSEN UND CLARISSA, EIN BERLINER ROMAN
      von Paul Scheerbart   *91*
        Das Vorspiel   *93*
        Der Montag   *98*
        Der Dienstag   *101*
        Der Mittwoch   *106*
        Der Donnerstag   *109*
        Der Freitag   *114*
        Der Sonnabend   *117*
        Der Sonntag   *123*
        Das Nachspiel   *127*

V.   DIE LÜGENDICHTUNG IN DER WELTLITERATUR   *135*

    ÜBUNGEN
        Kapitel I   *147*
        Kapitel II   *149*
        Kapitel III   *159*
        Kapitel IV   *160*
        Kapitel V   *165*
    Wörterverzeichnis   *169*

1

Münchhausen und die deutsche Lügendichtung

Münchhausen und die deutsche Lügendichtung

Die Person des Baron von Münchhausen und das Wort „Lügendichtung" sind in der deutschen Literatur heute nicht zu trennen.

Der eine sagt „Münchhauseniade" und meint eine
5 Lügendichtung. Der andere sagt „Lügendichtung" und meint eine Geschichte in Münchhausens Art. Beide meinen dieselbe Art von Dichtung.

In einem deutschen Literaturlexikon steht unter dem Wort „Lügendichtung": Siehe „Münchhauseniade". Es
10 sind zwei Worte für eine und dieselbe Sache.

Wer ist dieser Münchhausen? Wie wurde er zum Symbol für Lügendichtung?

Es gibt in Deutschland eine alte Familie Münchhausen; mehrere Mitglieder der Familie wurden berühmt.
15 Einer von ihnen, Karl Friedrich Hieronymus von Münchhausen ist im achtzehnten Jahrhundert zur Figur des Lügenbarons geworden.

Fünfhundert Jahre vor der Zeit von Karl Friedrich Hieronymus nahm ein Vorfahr, Heino von Münchhausen,
20 mit Kaiser Friedrich II. am Kreuzzug nach Jerusalem teil. Die Söhne Heino von Münchhausens wurden die Gründer einer „schwarzen" und einer „weißen" Linie der Familie.

Jahrhunderte später war ein Mitglied der Familie Münchhausen, Gerlach Adolf, einer der Gründer der
25 deutschen Universität Göttingen. Gerlach Adolf wurde Göttingens erster Kurator.

Das Urbild des Lügenbarons, Mitglied der schwarzen Linie, wurde 1720 in Bodenwerder geboren. Es gibt

die Lüge *lie*
die Lügendichtung *tall tales, literature of obvious lies*

sind nicht zu trennen *can't be separated*

die Münchhauseniade *tale of obvious lies*

meinen *mean*
die Geschichte *story*
die Art *manner*
beide *both*
die Dichtung *literature*

die Sache *thing*

werden zu *become*

es gibt *there is*

das Mitglied *member*
berühmt *famous*

das Jahrhundert *century*

teilnehmen *take part*
der Vorfahr *ancestor*
der Kreuzzug *crusade*

der Gründer *founder*

schwarz *black*

der Kurator *curator*

das Urbild *prototype*

wurde geboren *was born*

das „Schloß" "castle"

Fachwerk- half-timbered

die Wildnis wilderness

kaum scarcely

Adels- of the nobility
der Herr lord
damals at that time

der Kornett standard-
  bearer
kämpfen fight

der Krieg war

der Rittmeister cavalry
  captain

heiraten marry

nahm… Armee quit the
  service

schlank slim

der Zug feature
die Stirn forehead
gebogen aquiline
der Schalk rogue
blicken look

begeistert enthusiastic

der Jäger hunter

besitzen have

glücklich happy

die Ehe marriage

der Bekannte
  acquaintance
die Geschichte story

was für ein what kind of
der Lügenerzähler teller
  of tall tales
bei Geschäften in
  business

noch Bilder von dem „Schloß" Münchhausens; es ist ein sehr großes Fachwerkhaus und liegt in einer idyllischen Gartenwildnis.

Der Vater starb, als Hieronymus nur vier Jahre alt war. Er hat seinen Vater kaum gekannt. Hieronymus von 5 Münchhausen wurde das, was viele Kinder in deutschen Adelsfamilien damals wurden: ein Page. Sein Herr war der Prinz Anton Ulrich von Braunschweig. Als der deutsche Prinz Anton Ulrich Kommandant eines russischen Kavallerieregiments wurde, machte er den Pagen Hieronymus 10 zum Kornett in seinem Regiment. Münchhausen kämpfte mit dem Regiment des Braunschweiger Prinzen im Türkenkrieg von 1739 und vielleicht auch im russisch-schwedischen Krieg in Finnland, 1741–43. Er wurde Rittmeister. 15

Als Münchhausen vierundzwanzig Jahre alt war, heiratete er Jakobine von Dunten. Auch sie war aus einer alten deutschen Adelsfamilie. 1750 — er war damals dreißig Jahre alt — nahm er Abschied von der Armee und lebte von nun an als Familienvater in Bodenwerder. 20

Es gibt ein Porträt von Münchhausen als Rittmeister. Man sieht auf dem Bild einen schlanken Mann mit schönen aber scharfen Zügen. Die Stirn ist hoch, die Nase gebogen, der Mund klein. Der Schalk blickt ihm aus den Augen. 25

Hieronymus von Münchhausen war ein begeisterter Jäger — wie viele Aristokraten der Zeit. Fast nur Aristokraten besaßen damals das Privileg zu jagen.

Die glücklichste Zeit in seinem Leben fällt in die Zeit von 1750 bis 1790. Er lebte in glücklichster Ehe. Freunde 30 und Bekannte kamen zu ihm, um mit ihm zu jagen, und er erzählte Geschichten aus den Kriegen und von früheren Jagden.

Was für ein Mensch war der Mann, der das Urbild des Lügenerzählers werden sollte? Was wissen wir von 35 ihm? Bei Geschäften war Hieronymus von Münchhau-

4 Lügendichtung

sen ein zuverlässiger Mann. Er ist „ein Herr von außerordentlicher Ehre", schrieb ein Bekannter über ihn.

Selbst bei den Geschichten, die er erzählte, hat er nicht *immer* gelogen und aufgeschnitten. Ja, er erzählte mitunter
5 seine Lügengeschichten, weil er die Wahrheit so liebte.

Einer seiner Nachkommen schrieb über seine Wahrheitsliebe folgendes.

Oft saßen die Herren nach der Jagd feuchtfröhlich zusammen und erzählten Jagdgeschichten. Wenn der eine
10 oder der andere eine unglaubliche Geschichte erzählte, ärgerte sich der Baron Hieronymus von Münchhausen so sehr, daß er den Lügner bestrafte. „Ach, schweigen Sie still! Das ist ja gar nichts. Als ich in Rußland war, da habe ich ganz andere Dinge erlebt...!" sagte er.
15 Nun beginnt Münchhausen zu erzählen, ein Glas Punsch in der Hand und „die kolossale Meerschaumpfeife" im Mund. Er lügt das Blaue vom Himmel herunter. Seine große Phantasie, sein Witz und sein Erzähl-Talent lassen ihn die Lügengeschichten anderer lächerlich
20 machen. Er erzählt seine Geschichten „zwar mit militärischem Nachdruck, doch ohne alles Pathos und mit der leichten Laune des Weltmannes." Münchhausen ist ein Meister der Improvisation.

In lustiger Freundesrunde und in glücklicher Ehe
25 waren es schöne Jahre im Leben Münchhausens. Dieses Leben war noch fröhliche Wirklichkeit, als die ersten „Münchhausengeschichten" in den achtziger Jahren des achtzehnten Jahrhunderts herauskamen.

Das Glück des historischen Freiherrn Hieronymus von
30 Münchhausen zerbrach mit dem Tod seiner Frau im Jahr 1790. Der siebzigjährige alte Herr war damit aus seinem Lebensrhythmus gerissen. Er war vereinsamt; er wußte nicht, was er beginnen sollte.

Einige Jahre nach dem Tod seiner Frau Jakobine be-
35 suchte ihn ein Bekannter, der Major von Brunn. Der Major und seine siebzehn Jahre alte Tochter Bernhardine

zuverlässig	*trustworthy*
außerordentlich	*extraordinary*
die Ehre	*honor*
aufschneiden	*boast*
mitunter	*occasionally*
die Wahrheit	*truth*
der Nachkomme	*descendant*
folgendes	*the following*
feuchtfröhlich	*drinking and jovial*
unglaublich	*incredible*
sich ärgern	*become annoyed*
bestrafen	*punish*
schweigen Sie still	*hush up*
Rußland	*Russia*
erleben	*see, experience*
die Pfeife	*pipe*
lügt... herunter	*lies himself blue in the face*
Erzähl-	*narrative*
lächerlich	*ridiculous*
der Nachdruck	*vigor*
die leichte Laune	*free and easy manner*
der Meister	*master*
lustig	*lively*
die Runde	*circle*
fröhlich	*cheerful, happy*
die Wirklichkeit	*reality*
achtziger Jahre	*eighties*
der Freiherr	*baron*
zerbrechen	*be shattered*
reißen	*tear*
vereinsamt	*lonely*
beginnen	*do*
besuchen	*visit*

lieb *sweet and charming*

die Hochzeit *wedding*
in aller Stille *quietly*
der Tanz *dance*

die Haushälterin
  housekeeper

verbittert *embittered*

entdecken *discover*
die Zehe *toe*
abfrieren *freeze off*

lächeln *smile*

der Eisbär *polar bear*
abbeißen *bite off*
der Schriftsteller *writer*

der Roman *novel*

sonderbar *strange*

trotzdem *nevertheless*

eigen *own*

dabei *there*
der Sarg *coffin*
öffnen *open*
das Skelett *skeleton*
die Haut *skin*
breit *broad*
beinah *almost*
der Zugwind *current of air*
sich werfen in *howl through*
zerfallen *disintegrate*
plötzlich *suddenly*
der Schädel *skull*

die Gestalt *figure*

blieben zwei Wochen bei Münchhausen in Bodenwerder. Die Siebzehnjährige dachte an das Geld des Siebzigjährigen, war sehr lieb zu ihm und gewann sein Herz. Hieronymus von Münchhausen heiratete Bernhardine von Brunn im Januar 1794. Er wollte eine Hochzeit in aller Stille, sie 5 wollte aber eine Hochzeit mit Tanz und vielen Menschen. Es gab eine Hochzeit mit Tanz und vielen Menschen.

Bernhardine von Brunn brachte dem alten Baron wenig Glück und viel Bitternis. In den letzten Jahren seines Lebens war nur seine Haushälterin, Frau Nolte, immer 10 bei ihm. Aus dem witzigen Anekdoten-Erzähler wurde ein verbitterter, vereinsamter Mensch. Mitunter hatte er aber auch in dieser Zeit noch seinen alten Humor. Später erzählte man, Frau Nolte habe kurz vor seinem Tod entdeckt, daß er an einem Fuß nur drei Zehen hatte. Zwei 15 Zehen waren in Rußland abgefroren.

„Ach, was ist denn das?" rief Frau Nolte, als sie den Fuß sah.

Münchhausen lächelte und sagte: „Auf der Jagd hat mir ein Eisbär die zwei Zehen in Rußland abgebissen." 20

In unserem Jahrhundert erzählte der deutsche Schriftsteller Carl Haensel — er hatte 1933 einen Münchhausen-Roman geschrieben: „Das war Münchhausen" — eine sonderbare Münchhausen-Geschichte. Carl Haensel ist 1899 geboren und schrieb im Jahr 1953: „Münchhausen 25 ist 1797 gestorben. — Trotzdem habe ich ihn noch mit meinen eigenen Augen gesehen."

Als Carl Haensel nämlich ein kleiner Junge war, war er dabei, als man in Bodenwerder den Sarg Münchhausens öffnete: „ ...im Sarg lag nicht ein Skelett, sondern ein 30 schlafender Mensch, mit Haar, Haut und Gesicht. Hieronymus Münchhausen... Ein breites, rundes, gutes Gesicht mit einer starken Nase und einem beinah lächelnden Mund... Ein wilder Zugwind warf sich in die Kirche... der Tote zerfiel plötzlich, aus Gesicht wurde Schädel, aus 35 der Gestalt ein Skelett."

6   Lügendichtung

Als der Schriftsteller Carl Haensel über den geöffneten
Sarg Münchhausens schrieb, lebten mehr als hundert Mitglieder der Familie in Deutschland. Das alte Gut gehörte
ihnen aber nicht mehr; denn die Familie hatte es gegen
5 Ende des neunzehnten Jahrhunderts in einzelnen Stücken
verkaufen. Seit 1936 ist das Schloß, in dem der Lügenbaron
lebte, Rathaus der Stadt Bodenwerder; in dem Rathaus-
Schloß befindet sich aber bis heute ein Erinnerungszim-
mer.

10 Seit dem Tod des berühmtesten Münchhausen haben
mehrere Mitglieder der Familie in der deutschen Geschichte eine bedeutende Rolle gespielt. Auf dem Gebiet der
deutschen Literatur kennt man auch Börries von Münchhausen; er war Balladendichter, gehörte zur weißen Linie
15 und hatte mit Lügendichtung nichts zu tun. Senior der
heutigen Familie in Deutschland ist Heino, Freiherr von
Münchhausen, der auf seinem Gut in Apelern bei Hanno-
ver lebt.

Sowohl im neunzehnten als auch im zwanzigsten
20 Jahrhundert wanderten mehrere Mitglieder der Familie
nach Amerika aus. Auch hier spielten einige eine Rolle in
der Geschichte. Rembert von Münchhausen nahm 1898 am
Spanisch-Amerikanischen Krieg bei Teddy Roosevelts
„Rough Riders" teil. August von Münchhausen wurde in
25 Amerika für seine bunten Fenster bekannt. Senior der
heutigen Familie in Amerika ist Heyno von Münchhausen,
der sich als Spezialist auf dem Gebiet der Akustik in New
York einen Namen gemacht hat.

Der Name der Familie bringt eine immer wiederkeh-
30 rende Situation mit sich. Wenn ein Münchhausen etwas
erzählt, meinen Anwesende immer wieder, es sei amüsant,
wenn man so tut, als ob man skeptisch sei. Wird vielleicht
eine Münchhauseniade erzählt?

Seit den ältesten Zeiten gibt es drei typische Formen
35 für die Lügendichtung: die Jagdlüge, die Kriegslüge und
die Reiselüge.

das Gut estate
gehören belong

einzeln individual

verkaufen sell

das Rathaus town hall

sich befinden be
Erinnerungs- memorial

die Geschichte history

bedeutend significant
das Gebiet field

der Dichter poet, writer

heutig present-day

das Gut estate

sowohl... als auch
as well as
auswandern emigrate

teilnehmen take part

bunt stained glass
bekannt well-known

das Gebiet field

wiederkehrend recurring

meinen think
Anwesende those
present
so tun, als ob act as
though

typisch typical

die Reise travel

aufwärmen	*warm up*
bringen	*bring forth*
plump	*clumsily*
der Held	*hero*
weltklug	*worldly-wise*
erhalten	*obtain, receive*
die Blütezeit	*Golden Age*
der Aufschneider	*braggart*
der Herzog	*duke*
feige	*cowardly*
der Soldat	*soldier*
unwahrscheinlich	*improbable*
faustdick	*thumping*
der Übermensch	*superman*
im Kleinen	*on a small scale*
verneinen	*contradict*
in Fernen	*to distant places*
die Art	*manner*
ausmachen	*constitute*
der Wert	*value*
der Reiz	*charm*
die Überlegenheit	*superiority*
das Publikum	*public*

Münchhausen hat aber nicht nur drei alte Formen der Lügendichtung wieder aufgewärmt. Charakteristisch ist, wie er seine Lügengeschichten bringt. Er erzählt nicht plump wie die älteren Lügenhelden; denn Baron von Münchhausen ist ein weltkluger Sohn des achtzehnten 5 Jahrhunderts.

Die Lügenerzählungen Münchhausens erhielten ihre literarische Form durch den Dichter Gottfried August Bürger. Er lebte in der zweiten Hälfte des achtzehnten Jahrhunderts und war siebenundzwanzig Jahre jünger als 10 der Baron. Die Blütezeit der deutschen Literatur hatte damals begonnen.

Gottfried August Bürger war nicht der erste Lügendichter der deutschen Literatur. Lange vor Bürger gab es Lügenhelden und Aufschneider in der Dichtung. 15

Am Ende des sechzehnten Jahrhunderts schrieb Heinrich Julius, Herzog von Braunschweig (1564–1613) von dem lügenden aber feigen Soldaten Vincentius Ladislaus. In der zweiten Hälfte des siebzehnten Jahrhunderts gab es die zwei lügenden Soldaten mit den unwahrscheinlichen 20 Namen Horribilicribrifax und Daradiridatumtarides des Dichters Andreas Gryphius (1616–1664). Kurz vor Ende des Jahrhunderts erzählte Schelmuffsky faustdicke Reiselügen in dem satirischen Roman desselben Namens von Christian Reuter (1665–1712). 25

Die Lügner von Heinrich Julius, Andreas Gryphius und Christian Reuter sind Übermenschen im Kleinen. Sie verneinen die Wahrheit dessen, was ist. Die lügenden Soldaten und der lügende Reisende fliehen aus der Wirklichkeit in Fernen der Phantasie. 30

Der lügende Münchhausen Bürgers ist aber kein primitiver Aufschneider. Die elegante Art, wie er die Lüge als Lüge erzählt, macht bei den Geschichten des Barons den Wert aus. In den Erzählungen Bürgers liegt der Reiz in der souveränen Überlegenheit des Erzählers über sein 35 Publikum. Der Leser soll gar nicht an die Wahrheit der

Geschichten glauben. Gerade darum soll er so manche Wahrheit hinter diesen Lügen erkennen.

gerade darum *just for that reason*
erkennen *discern*

Bürgers Münchhausen-Buch hat den deutschen Lügendichtungen den Namen Münchhauseniaden gegeben. 5 Nicht nur vor Bürger, schon vor Reuter, Gryphius und Heinrich Julius gab es aber Lügendichtungen.

Die erste deutsche Dichtung dieser Art ist wohl der „Modus florum" aus dem zehnten oder vom Anfang des elften Jahrhunderts. Es ist ein kleines Gedicht in lateini- 10 scher Sprache. Vom neunten bis ins siebzehnte Jahrhundert gibt es in der Geschichte der deutschen Literatur eine umfangreiche Dichtung in lateinischer Sprache.

„Modus florum" *flower melody*
der Anfang *beginning*
das Gedicht *poem*
lateinisch *Latin*

umfangreich *extensive*

Der „Modus florum" ist die Geschichte von einem König, der einen Mann für seine Tochter sucht. Er will 15 seine Tochter dem Mann geben, der am besten lügen kann. Als das bekannt wird, kommt ein Schwabe zum König. Der Schwabe erzählt dem König die folgende Geschichte.

der König *king*
suchen *look for*

bekannt *known*
der Schwabe *Swabian*

Ich ging einmal jagen und schoß einen Hasen. Aus dem rechten Ohr des toten Hasen flossen hundert Pfund 20 Honig. Aus seinem linken Ohr rollten hundert Goldstücke. In seinem Schwanz fand ich eine Urkunde. In dieser Urkunde las ich, daß du, der König, mein Knecht bist.

schießen *shoot*

das Ohr *ear*
tot *dead*
der Hase *rabbit*
fließen *flow*
das Pfund *pound*
der Honig *honey*
der Schwanz *tail*
die Urkunde *document*
der Knecht *servant*
unterbrechen *interrupt*
beweisen *prove*

Hier unterbricht der König den Erzähler und ruft: „Das lügt die Urkund', so wie du!" Dadurch bewies aber 25 der Schwabe, daß er so gut lügen konnte, daß es selbst dem König zu viel wurde. Der König mußte ihm seine Tochter zur Frau geben.

Die erste deutsche Lügendichtung ist also eine Jagdgeschichte. Ihr Sinn ist naiv: die größte Lüge wird belohnt. 30 Das heißt, die größte Leistung der Phantasie wird belohnt. Ja, in der Geschichte vom König und dem Lügen-Erzähler aus Schwaben wird auch die schöpferische Kraft zu dichten belohnt; denn die Kraft der Phantasie hängt mit der schöpferischen Kraft zu dichten zusammen.

der Sinn *meaning*
wird belohnt *is rewarded*
das heißt *that is*
die Leistung *achievement*

schöpferisch *creative*
die Kraft *power*
dichten *compose, invent*

zusammenhängen *be connected*
das Märchen *fairy tale*
sich finden *are found*
die Belohnung *reward*

35 In alten deutschen Erzählungen und Märchen finden sich immer wieder Belohnungen großer Lügner. Bei einem

die Fabel *fable*

Schlaraffenland *land of milk and honey*
bekannt *well-known*
das Motiv *motive*

zum Beispiel *for example*
halbiert *cut in halves*
das Pferd *horse*

zusammenwachsen *grow together*
die Sammlung *collection*
der Narr *fool, buffoon*

der Bürger *citizen*
die Stadt *city*
nennen *call*

übertrieben *exaggerated*

die Übertreibung *exaggeration*
lächerlich *ridiculous*

der Verstand *(common) sense*
was für *what kind of*

das Rathaus *town hall*
bauen *build*
das Fenster *window*
dunkel *dark*

der Eimer *pail*
der Korb *basket*
tragen *carry*
der Versuch *attempt*
mißlingen *fail*
raten *advise*
das Dach *roof*
abtragen *take off*
zahlen *pay*
brauchen *need*

entdecken *discover*

die Mauer *wall*
der Spalt *crack*

die Wiese *meadow*
eng beisammen *close together*
das Bein *leg*
fürchten *fear*
beim Aufstehen *while getting up*

Fabeldichter des sechzehnten Jahrhunderts — er heißt Erasmus Alberus (1500-1553) — wird der Mann König von Schlaraffenland, der die größte Lüge erzählen kann.

Bekannte Lügenmotive liest man schon in den Geschichten dieser Zeit. In mehreren Lügenbüchern der Epoche lesen wir zum Beispiel von einem halbierten Pferd — wie später vom Pferd Münchhausens. Und wie bei Münchhausen wachsen die zwei Teile wieder zusammen.

Eine bekannte Sammlung von Narren- und Lügengeschichten vor Münchhausen ist „Das Lalenbuch".[1] Das Buch von den Bürgern der Stadt Lalenburg — später nannte man sie Schildbürger nach der Stadt Schilda — erzählt übertriebene Lügen von der Dummheit der Lalenbürger. Die Übertreibungen sollen hier das Phantastische lächerlich machen. Der Autor steht auf der Seite der realen Welt des Verstandes.

Was für Geschichten liest man im „Lalenbuch"? Als die Lalenbürger zum Beispiel ein Rathaus bauten, vergaßen sie die Fenster. Es war ganz dunkel in ihrem neuen Rathaus. Nun wollten die Lalenbürger das Licht in Säcken, Eimern und Körben ins Rathaus tragen. Als der Versuch mißlang, riet ihnen ein Reisender, der gerade in Lalenburg war, das Dach abzutragen. Sie zahlten ihm viel Geld für seinen Rat und hatten den ganzen Sommer Licht in ihrem Rathaus. Als es im Winter kalt wurde, brauchten sie aber das Dach — und sahen, daß es im Rathaus wieder dunkel war. Da entdeckte einer der Lalenbürger in der Mauer einen Spalt, durch den Licht fiel. So fanden sie heraus, daß sie Fenster machen mußten.

Ein anderes Mal waren die Lalenbürger zusammen auf einer Wiese und tranken viel Wein. Sie lagen eng beisammen auf der Wiese und wußten nicht mehr, wo sie ihre Beine hatten. Sie fürchteten, beim Aufstehen nicht die

5

10

15

20

25

30

---

[1] Es gibt andere Sammlungen dieser Art. Sehr bekannt sind die Eulenspiegel-Geschichten (1515).

richtigen zu finden. Da hielten sie einen Reiter an und versprachen ihm viel Geld, wenn er ihnen helfen könnte, ihre Beine wieder zu finden. Der Reiter nahm einen Stock in die Hand und schlug kräftig auf die Beine ein. Da sprang
5 ein Lalenbürger nach dem andern auf und freute sich, seine Beine wieder gefunden zu haben.

Das „Lalenbuch" erschien im Jahre 1597. Es hatte einen Anhang: „Die neue Zeitung aus der ganzen Welt". Diese Sammlung enthält die meisten Lügengeschichten,
10 die im sechzehnten Jahrhundert in Süddeutschland im Umlauf waren.

Die neunte und zehnte Zeitung erzählen von eingefrorenen und wieder aufgetauten Worten. Es ist ein bekanntes Motiv. Bei Münchhausen kehrt es in hübscher
15 Form in den eingefrorenen Tönen eines Posthorns wieder. In der vierzehnten Zeitung wird ein Wachtposten aus einer Kanone geschossen. In dem Buch Bürgers reitet Münchhausen auf einer Kanonenkugel. In der sechzehnten Zeitung lesen wir von Bienen, die so groß wie Schafe sind.
20 Auch diese großen Bienen finden sich bei Münchhausen wieder. Von dem halbierten Pferd lesen wir in der achtzehnten Zeitung.

Die Darstellung der Geschichten in der „Neuen Zeitung aus der ganzen Welt" ist jedoch plump. Mit der
25 Form der Erzählungen bei Bürger sind sie nicht zu vergleichen.

Naiv ist auch die Darstellung der Reiselügen, die Christian Reuters Schelmuffsky erzählt. Mitunter wird die Naivität aber zur Stärke der Erzählung. Christian Reuter
30 läßt Schelmuffsky selbst in der Ich-Form erzählen, und das gibt den Geschichten die Atmosphäre der Echtheit. Der erzählende Schelmuffsky ist selbst so naiv wie seine Geschichten. Er ist ein kleinstädtischer Taugenichts, hat von der Welt nichts gesehen und kaum etwas gehört. Er liebt
35 aber das Lügen und Aufschneiden. Schelmuffsky könnte wirklich so sprechen, wie Reuter ihn sprechen läßt. Der

---

Glossary (margin):

anhalten *stop*
der Reiter *man on horseback*
versprechen *promise*

einschlagen auf *beat on*
kräftig *vigorously*
sich freuen *be glad*

erscheinen *appear*

der Anhang *supplement*
die Zeitung *news, newspaper*
enthalten *contain*
Süd- *south*

im Umlauf sein *circulate*
eingefroren *frozen*

aufgetaut *thawed*

wiederkehren *recur*
hübsch *charming*
der Ton *sound*

wird geschossen *is shot*
der Wachtposten *sentry*

die Kugel *ball*

die Biene *bee*
das Schaf *sheep*

die Darstellung *description*
jedoch *however*

sind nicht zu vergleichen *can't be compared*

mitunter *occasionally*

die Stärke *strong point*

die Echtheit *authenticity*

kleinstädtisch *small town*
der Taugenichts *good-for-nothing*
kaum *scarcely*

die Wiederholung
  repetition
einzeln   *individual*
faustdick   *thumping*
unterstreichen   *emphasize*
der Ausdruck   *expression*

der Kern   *core*

hätte treten können
  could have stepped
jeden Augenblick   *at any
  moment*
eng   *confining*

lebenslustig   *convivial*

Gasthof... Löwen   *Red
  Lion Inn*
die Miete   *rent*
bezahlen   *pay*
die Wirtin   *landlady*
hinauswerfen   *throw out*
sich rächen   *take
  revenge*
die Zielscheibe   *butt,
  target*
boshaft   *malicious*

lebendig   *living*
das Urbild   *prototype*
die Anmaßung
  presumption
der Mittelpunkt   *center*

der Liebhaber   *lover*

der Kanzler   *chancellor*
anbieten   *offer*
treffen   *meet*
sich verlieben   *fall in love*
erwidern   *reciprocate*

besiegen   *conquer*
der Gegner   *enemy*
überall   *everywhere*
bewundern   *admire*

entstehen   *come into
  being*
stufenweise   *by steps*

anonym   *anonymous*
der Sonderling   *strange
  character*
erscheinen   *appear*

Ton, in dem er erzählt, die Wiederholung einzelner faustdicker Lügen, deren „Wahrheit" er durch die Wiederholung unterstreichen will, die Wiederholung von Ausdrücken und Motiven — das alles macht den Roman sehr lebendig. 5

Wie Bürgers Münchhausen, so hat auch Reuters Schelmuffsky einen historischen Kern. Dieser Aufschneider hätte nicht nur jeden Augenblick aus der Haustür einer engen deutschen Kleinstadt treten können! Er hat wirklich gelebt. 10

Christian Reuter war ein lebenslustiger Student. In Leipzig, wo er studierte, wohnte er im Gasthof zum Roten Löwen. Als er einmal die Miete einige Zeit nicht bezahlte, warf ihn die Wirtin hinaus. Der Student Reuter rächte sich. In seinem Roman machte er die Wirtin, ihre zwei 15 Töchter und ihren Sohn zur Zielscheibe für seine boshaften Satiren. Der Sohn der Wirtin, Eustachius Müller, war das lebendige Urbild des Schelmuffsky: ein Aufschneider, voll von Dummheit und Anmaßung. Er erzählt die größten Lügen, in deren Mittelpunkt er selbst steht — als großer 20 Reisender, Held und Liebhaber.

Müller-Schelmuffsky ist nie aus seiner Heimatstadt hinausgekommen. Doch erzählt er groteske Geschichten von Rom, von Stockholm. Er erzählt, wie man ihm in Indien den Posten eines Kanzlers anbietet. Man liest, daß 25 alle Frauen, die er trifft, sich in ihn verlieben. Als er in Schweden die Liebe eines Mädchens nicht erwidert, stirbt sie.

Er besiegt alle Gegner. Überall bewundert man ihn. Er ist ein Übermensch, wie es ihn nur in der Phantasie gibt 30 oder in der Lüge.

Schelmuffsky entstand in der Phantasie Christian Reuters. Der Münchhausen der Literatur entstand stufenweise.

In einem anonymen kleinen Buch, das im Jahre 1761 35 unter dem Titel „Der Sonderling" erschien, finden sich drei sonderbare Jagdgeschichten. Ein „gewisser Liebhaber" der Jagd wird hier zum Helden von drei Lügengeschichten über die Jagd. Dieser Held ist niemand anderer als der historische Münchhausen, Karl Friedrich Hieronymus von 5 Münchhausen.

Den anonymen Autor des Buches entdeckte man in der Person eines gewissen Grafen Rechus Friedrich von Lynar. Dieser Lynar war wahrscheinlich oft zu Gast bei Münchhausen und lernte die Geschichten direkt von ihm kennen. 10 Die letzte der drei Jagdgeschichten findet sich in einer Sammlung wieder, die 1781-1783 unter dem Titel „Vade mecum für lustige Leute" erschien. Hier wird die Herkunft der Geschichten noch deutlicher als bei dem Grafen Lynar. Es sind nämlich achtzehn „sinnreiche Geschichten 15 eigener Art", die „ein sehr witziger Kopf, Herr von M-h-s-n" aufgebracht hat.

Die Geschichten des Herrn von M-h-s-n sind nicht einfach Lügen und Aufschneidereien. Sie sind auch nicht phantastische Produkte einer lustigen Trinkerlaune. Viel- 20 mehr sind sie Parodien auf die üblichen Jagdlügen, die man durch satirische Übertreibung ad absurdum führt. Man übertrumpft die Lügen der anderen und macht sie dadurch lächerlich.

Durch das „Vade mecum für lustige Leute" wurden 25 die lustigen Geschichten bekannt und beliebt. Wenige Jahre nach dem Erscheinen des „Vade mecum" kam in Oxford ein anonymes Buch in englischer Sprache heraus. Sein Autor war der Deutsche Rudolf Erich Raspe. Diese „englische" Ausgabe der Geschichten Münchhausens fand 30 viele Freunde; es folgten neue Auflagen. Die neuen Aufla- gen waren immer um einige neue Erzählungen vermehrt. Hinzu kam der ganze zweite Teil des Buches, „Die See- Abenteuer Münchhausens", der nie zur See gegangen war.

Bald kam die deutsche Ausgabe von Gottfried August 35 Bürger heraus, „Wunderbare Reisen, Feldzüge und Aben- teuer des Freiherrn von Münchhausen" (1786). Bürger hatte

sonderbar	*odd*
gewiß	*certain*
entdecken	*discover*
der Graf	*count*
wahrscheinlich	*probably*
zu Gast sein bei	*be a guest of*
kennenlernen	*become acquainted with*
Vade mecum	*pocketbook*
lustig	*jovial*
die Herkunft	*origin*
deutlich	*clear*
sinnreich	*clever*
eigener Art	*of a peculiar type*
witzig	*witty*
aufbringen	*bring*
einfach	*simply*
die Aufschneiderei	*boasting*
die Trinkerlaune	*mood brought about by drinking*
vielmehr	*rather*
üblich	*usual*
ad absurdum führen	*make absurd*
übertrumpfen	*trump, outdo*
das Erscheinen	*publication*
herauskommen	*come out*
die Ausgabe	*edition*
die Auflage	*edition*
vermehren um	*augment by*
hinzukommen	*be added*
die See	*sea*
der Feldzug	*campaign*

die zweite englische Ausgabe um vierzehn Geschichten vermehrt — und später noch erweitert. Schon bei Rudolf Erich Raspe, mehr noch bei Bürger, gewinnen die Erzählungen eine neue Note. Sie sind nicht mehr allein Satire auf die üblichen Jagdlügen; sie beschränken sich nicht auf den heiteren Effekt der Übertreibung eines Aufschneiders. Ein ernster Ton wird hinter den lustigen Geschichten hörbar.

Bürger macht die dichterische Wurzel der Lügendichtung, in ihren besten Gestaltungen, deutlich. Der Aufschneider und Lügner Baron von Münchhausen wird bei dem deutschen Dichter zum Gleichnis des Gegensatzes zwischen Ideal und Wirklichkeit. Die Realität ist beschränkt; sie ist eng; oft ist sie traurig. Bei Bürger wird Münchhausen zum Bild einer Möglichkeit der Überwindung dieser engen Realität durch ihre Ausgestaltung ins Phantastische.

Der Erzähler ist sich wohl bewußt, daß er Lügen erzählt. Aber das Lebensgefühl, das dahinter steht, ist mitunter bittere Selbstironie, mitunter verklärender Humor. Diesem Humor erscheinen die Dinge der engen Realität als winzig klein.

Man mag es nennen, wie man will: Flucht vor der Realität oder Überwindung der Realität. Vielleicht flieht man vor der Wirklichkeit aus Abscheu vor ihr, vielleicht aus Freude am Unwirklichen. Im ersten Fall ist die Abkehr mehr ernster, bitterer Art, im zweiten Fall mehr heiterer Natur. Dem Wunsch nach Überwindung der Wirklichkeit entspricht auch die Stellung des Aufschneiders als „Übermensch im Kleinen".

Der Stoff der Münchhausen-Geschichten war zum Teil in einzelnen Anekdoten, zum Teil in ganzen Sammlungen schon vorhanden. Das große Verdienst Rudolf Erich Raspes ist die Anordnung, Erweiterung und Verschmelzung des Anekdotenstoffes mit der historischen Person Münchhausens. Ungefragt wird der Baron von Münchhausen zur volkstümlichen Figur des Lügenmei-

14   Lügendichtung

sters. Das große Verdienst Gottfried August Bürgers ist die
endgültige deutsche Fassung und die Vertiefung des
Stoffes.

Was keinem Lügenhelden vorher gelang, das gelang
5 Münchhausen durch Raspe und Bürger. Wie Odysseus,
Hamlet, Don Quijote und Faust wurde er zu einem allge-
meinen Symbol; er wurde zu einer Figur, der ein Rest des
Mythischen anhaftet. Spätere Autoren sahen ihn anders
als Raspe und Bürger, und Münchhausen wandelte sich.
10 Durch alle Wandlungen blieb jedoch etwas, was das Wesen
der Figur ausmacht: der Lügenmeister Münchhausen.

Zwei Tendenzen charakterisieren den Bürgerschen
Münchhausen. Die erste ist die Umwandlung — schon
Raspe hatte es begonnen — von Jagd- und Kriegserzäh-
15 lungen zum Reisebuch. Der historische Münchhausen
hatte nur Jagd- und Kriegsabenteuer erlebt; Erzählungen
dieser Art machen den Hauptteil der Anekdotensammlung
aus. Bei Bürger machen sie nur ein Viertel aus, gegenüber
drei Viertel neuer Reisegeschichten. Die Reiseerzählungen
20 erweitern nicht nur die geographischen Grenzen von
Deutschland und Rußland auf die ganze Welt. Selbst diese
Grenzen werden erweitert — durch Münchhausens Abenteuer in der Überwelt während der Reisen auf den Mond
und in der Unterwelt während der Reise durch einen
25 Vulkan. Elemente des Mythos kommen so in die Lügengeschichten hinein.

Die zweite charakteristische Tendenz hängt nur indirekt mit der ersten zusammen. Der Reisende, Baron
Münchhausen, ist ein freier Abenteurer ohne Bindungen.
30 Er ist ohne familiäre Bindung; denn der Autor spricht nur
ein einziges Mal und ganz beiläufig von seiner Frau. Er ist
ohne staatliche und ohne konfessionelle Bindung. Der
reisende Baron ist im Grunde ohne soziale Bindung überhaupt.

35 Durch die Freiheit eines Menschen ohne Bindungen
werden die Urteile der Menschen relativiert. Münchhausen

---

endgültig *conclusive*

die Fassung *version*
die Vertiefung *deepening*

gelingen *succeed (in)*

allgemein *universal*

der Rest *vestige*

mythisch *mythical*
anhaften *cling to*
sich wandeln *change*
die Wandlung
   transformation
jedoch *however*
das Wesen *essence*
ausmachen *constitute*

die Umwandlung
   transformation

erleben *have, experience*

das Hauptteil *main part*

gegenüber *over against*

erweitern *extend*
die Grenze *boundary*

die Überwelt *super-world*
der Mond *moon*
die Unterwelt *underworld*
der Vulkan *volcano*
der Mythos *myth*

zusammenhängen *be
   connected*
frei *free*
die Bindung *tie(s)*
familiär *family*

beiläufig *incidentally*

staatlich *national*
konfessionell *religious*
im Grunde
   fundamentally

die Freiheit *freedom*
das Urteil *view, opinion*
werden relativiert *are
   made relative*

die Sitte *custom*

wegfallen *be dispelled*

das Vorurteil *prejudice*
rein *purely*
menschlich *human*
in den Vordergrund
    treten *be placed in the
    foreground*
üben *practice*
die Enge *narrowness*
die Gesellschaftskritik
    social criticism
durchaus *thoroughly*

hinweglesen über *read
    without noticing*

die Sache *affair*

enthalten *contain*

der Bauer *farmer,
    peasant*
das Gedicht *poem*
der Fürst *prince, ruler*
treiben *drive*
das Wild *game*
geißeln *condemn*
der Stolz *pride*
die Abstammung
    descent, origin
Troja *Troy*
zumindest *at least*
Karl der Große
    Charlemagne
zurückführen *trace back*
biblisch *Biblical*
der Krieger *warrior*

heftig *sharp*

der Bericht *account*

der Insulaner-Häuptling
    island chieftain
die Insel *island*
verkaufen *sell*

meinen *mean*

der Landgraf von Hessen
    count of Hessia
der Söldner *mercenary*

der Kampf *fight*

sieht die Menschen und ihre Sitten auf der ganzen Welt in vielen Perspektiven. Durch die vielen Perspektiven fallen Vorurteile weg. Das allgemein Menschliche, das rein Menschliche tritt in den Vordergrund.

Durch Witz und Lüge übt Baron von Münchhausen 5 an der Enge seiner Zeit Gesellschaftskritik. Er ist dabei durchaus demokratisch. Der moderne Mensch, der die sozialen und politischen Probleme des achtzehnten Jahrhunderts nicht kennt, liest leicht über diese Dinge hinweg.

Die Jagd war zum Beispiel im achtzehnten Jahr- 10 hundert nur eine Sache der Aristokratie. Die übertriebenen Jagdlügen enthalten bei Bürger auch indirekte Kritik an der aristokratischen Klasse, die solche Geschichten erzählt. Die indirekte Kritik Münchhausens ist eine Parallele zu der direkten Kritik Bürgers in anderen seiner Werke. 15 „Der Bauer" — so heißt ein Gedicht — fragt zum Beispiel seinen Fürsten: „Wer bist du, daß... das Hurra deiner Jagd mich treibt... wie das Wild?"

Auch geißelt Bürger den Stolz vieler Aristokraten auf ihre Abstammung. Manche wollten ihre Abstammung auf 20 die Helden von Troja, zumindest aber auf Karl den Großen zurückführen. Münchhausen führt in grotesk satirischer Weise seine Abstammung auf den biblischen König David und die Frau des israelitischen Kriegers Urias im zehnten Jahrhundert vor Christus zurück. 25

Eine heftige Kritik am Absolutismus im Deutschland des achtzehnten Jahrhunderts findet sich im ersten See-Abenteuer des Barons. Nach dem Bericht Münchhausens macht ein Insulaner-Häuptling in der Südsee alle jungen Männer seiner Insel zu Soldaten. Von Zeit zu Zeit verkauft 30 er sie an andere Fürsten. Münchhausen erzählt, der Häuptling habe die Methode von einer Reise nach dem Norden mitgebracht. Gemeint ist eine Reise nach Deutschland. Dort hatte der Landgraf von Hessen auch junge Menschen verkauft. Sie wurden zu Söldnern Englands im 35 Kampf gegen die Kolonisten in Amerika.

16   Lügendichtung

Verschiedene spätere Autoren sahen Münchhausen anders als Bürger. Durch Bürger und durch Raspe ist er aber das geworden, was er noch heute ist: das Urbild des großen Lügenerzählers.

verschieden *different*

das Urbild *prototype*

II

Wunderbare Reisen, Feldzüge und Abenteuer des Freiherrn von Münchhausen

GOTTFRIED AUGUST BÜRGER

Meine Reise nach Rußland

Meine Reise nach Rußland machte ich im Winter. Im Sommer wollte ich nicht reisen; denn die Wege durch Polen sind sehr schlecht. Ich hoffte aber, daß Frost und Schnee diese Wege im Winter instand setzen.

5 Ich reiste nach Rußland zu Pferd und war nur leicht gekleidet. Das war sehr unangenehm, je weiter ich nach Nordosten kam; denn es wurde immer kälter. Ich ritt aber weiter, bis es Nacht wurde. Nirgends war ein Dorf zu sehen. Das ganze Land lag unter Schnee, und ich wußte 10 keinen Weg. Müde stieg ich ab und band mein Pferd an eine Art spitzen Zweig. Nicht weit von dem Zweig legte ich mich in den Schnee, nahm meine Pistolen unter den Arm und schlief ein.

Ich schlief sehr lange. Als ich wieder erwachte, war es 15 heller Tag. Wie staunte ich, daß ich mitten in einem Dorf lag. Mein Pferd war aber nirgends zu sehen. Da hörte ich hoch über mir etwas wiehern. Als ich emporsah, erblickte ich mein Pferd. Es war an den Kirchturm gebunden und hing von da herab. Nun wußte ich natürlich sofort, was los 20 war. Das Dorf war nämlich am Abend zugeschneit gewesen, und in der Nacht hatte das Wetter gewechselt. Als es immer wärmer wurde, schmolz der Schnee, und ich sank schlafend ganz langsam herab. Was ich aber in der Dunkelheit für einen spitzen Zweig gehalten hatte, war der 25 Kirchturm. Daran hatte ich mein Pferd gebunden.

Ohne lange zu denken, nahm ich eine von meinen Pistolen, schoß nach dem Riemen und kam so wieder zu meinem Pferd.

eine Reise machen *take a trip*
reisen *travel*
der Weg *road*
hoffen *hope*

der Schnee *snow*
instand setzen *make suitable for travel*
zu Pferd *on horseback*
kleiden *dress*
unangenehm *unpleasant*
je weiter *the farther*
nirgends *nowhere*
das Dorf *village*

müde *tired*
absteigen *dismount*
binden *tie*
die Art *kind*
spitz *pointed*
der Zweig *branch*
einschlafen *fall asleep*

erwachen *wake up*

heller Tag *broad daylight*
staunen *be astonished*
mitten in *in the middle of*
wiehern *neigh*
emporsehen *look up*
erblicken *see*
der Kirchturm *church-tower*
herabhängen *hang down*
sofort *immediately*
los *wrong*
zugeschneit *covered with snow*
wechseln *change*
schmelzen *melt*
herabsinken *drop*
langsam *slowly*
die Dunkelheit *darkness*
halten für *consider to be*

der Riemen *strap*
wieder kommen zu *get back*

Ich ritt weiter. Es ging alles gut, bis ich nach Rußland kam. Dort ist es nicht Mode, im Winter zu Pferde zu reiten. Ich folge immer den Sitten der Länder, in denen ich eben bin. So nahm ich mir einen Schlitten und fuhr so nach Sankt Petersburg.

Ich weiß nicht mehr genau, in welcher Provinz Rußlands es war; doch erinnere ich mich, daß es in einem großen Wald war, als mich ein Wolf verfolgte.

Der Wolf kam immer näher. Es war nicht möglich, ihm zu entgehen. Da legte ich mich ganz flach auf den Schlitten und ließ mein Pferd allein laufen. Der Wolf sprang über den Schlitten, fiel auf das Pferd und verschlang auf einmal dessen ganzes Hinterteil. Das arme Tier lief vor Schrecken noch schneller. Nach einer Weile hob ich den Kopf und sah mit Entsetzen, daß sich der Wolf von hinten in das Pferd hineingefressen hatte.

Da nahm ich meine Peitsche und fiel ihm tüchtig auf das Fell. Der Überfall erschreckte den Wolf sehr. Er lief immer schneller, der Leib des toten Pferdes fiel zu Boden, und der Wolf steckte statt seiner im Geschirr. Ich brauchte

die Mode *fashion*
die Sitte *custom*
eben *just*
der Schlitten *sled*
genau *exactly*
sich erinnern *remember*
der Wald *forest*
verfolgen *follow*
nah *close*
möglich *possible*
entgehen *get away from*
flach *flat*
allein *by himself*
verschlingen *swallow*
auf einmal *all at once*
das Hinterteil *hind part*
vor Schrecken *because of pain*
heben *raise*
das Entsetzen *horror*
in... hinein *into*
fressen *eat*
die Peitsche *whip*
fiel... Fell *tanned his hide thoroughly*
der Überfall *surprise attack*
erschrecken *startle*
der Leib *body*
tot *dead*
der Boden *ground*
statt *in the place of*
das Geschirr *harness*
brauchen *use*

II. Bürgers Münchhausen   23

gesund *in good health*

langweilen *bore*
die Kunst *art*
die Wissenschaft *learning*
die Hauptstadt *capital*
reden *talk*
die Intrige *intrigue*
das Abenteuer *adventure*
die Gesellschaft *society*
vielmehr *rather*
edel *noble*
das Ding *thing*

der Fuchs *fox*

irgendein *any*

die Erde *earth, world*
endlich *finally*
das Vergnügen *pleasure*
der Edelmann *nobleman*
kleiden *become*
griechisch *Greek*
dauern *take*
eintreten in *enter*
paar *few*

sich vergnügen *enjoy oneself*
wichtig *important*

nun die Peitsche noch mehr. In vollem Galopp kamen wir gesund nach Sankt Petersburg.

Ich will Sie nicht langweilen. Von Politik, Kunst und Wissenschaft der schönen Hauptstadt Rußlands will ich nicht reden. Von den Intrigen und Abenteuern der Gesellschaft will ich auch nicht sprechen. Vielmehr will ich von größeren und edleren Dingen sprechen, nämlich von Pferden und Hunden.

Ich bin immer ein großer Freund von Pferden und Hunden gewesen, aber auch von Füchsen, Wölfen und Bären. Davon gibt es in Rußland mehr als in irgendeinem Land der Erde. Endlich will ich von solchen Vergnügen und großen Taten erzählen, die einen Edelmann besser kleiden als ein wenig altes Griechisch und Latein.

Es dauerte einige Zeit, bevor ich in die Armee eintreten konnte. So hatte ich ein paar Monate für mich, um mich zu vergnügen. Die Kälte des Landes und die Sitten der Nation haben dem Trinken einen wichtigeren Platz

gegeben als in unserem nüchternen Deutschland. Ich habe
daher dort oft Leute getroffen, die wahre Virtuosen in der
edlen Kunst des Trinkens waren. Sie alle waren aber
nichts gegen einen alten graubärtigen General, der oft mit
5 uns aß.

Dieser alte General hatte im Kampf gegen die Türken
die obere Hälfte seines Hirnschädels verloren. Daher behielt er auch bei Tisch den Hut auf dem Kopf. Während
des Essens trank er immer einige Flaschen Weinbrand
10 und nach dem Essen noch einige mehr. Dennoch war er
niemals betrunken. Wenn Sie diese Geschichte nicht glauben, verzeihe ich Ihnen; denn ich verzeihe jedem, der sie
nicht glaubt. Ich konnte sie am Anfang auch nicht glauben. Einige Zeit wußte ich nicht, wie ich mir die Geschichte
15 erklären konnte, bis ich durch Zufall den Schlüssel fand.
Der alte General nahm von Zeit zu Zeit seinen Hut ab.
Das hatte ich oft gesehen, ohne viel darüber nachzuden-
ken. Einmal aber sah ich, daß er zugleich mit dem Hut
eine silberne Platte aufhob, die ihm statt des Hirnschädels
20 diente. Dabei stieg der Dunst alles Alkohols, den er getrunken hatte, in einer leichten Wolke in die Höhe. Ich
sagte dies einigen guten Freunden. Da es gerade Abend
war, wollte ich ein Experiment machen und beweisen, daß
ich recht hatte. Als der General wieder seinen Hut ab-
25 nahm, trat ich hinter ihn. Die Wolke von Alkohol stieg in
die Höhe, und ich zündete sie mit etwas Papier an. Damit
verwandelte sich die Wolkensäule über dem Kopf unseres
Freundes in eine Feuersäule. Ein blaues Feuer leuchtete
schöner über seinem Kopf als jemals der Nimbus über dem
30 Kopf eines Heiligen. Natürlich entdeckte der General
mein Experiment. Er war aber nicht böse, sondern erlaubte
mir noch oft, die Wolke über seinem Kopf anzuzünden.

---

nüchtern *sober*

daher *therefore*
treffen *meet*
wahr *true*

gegen *in comparison with*
graubärtig *graybearded*

der Kampf *fight*

der Hirnschädel *skull*
verlieren *lose*
behalten *keep*
bei Tisch *at the table*
der Weinbrand *brandy*

dennoch *nevertheless*

niemals *never*
betrunken *drunk*
verzeihen *forgive*

der Anfang *beginning*

sich erklären *account for*
durch Zufall *by chance*
der Schlüssel *key*
abnehmen *take off*

nachdenken über *think about*
zugleich *at the same time*

die Platte *plate*
aufheben *raise*
statt *instead of*
dienen *serve*
dabei *at the same time*
steigen *rise*
der Dunst *vapor*
die Wolke *cloud*
in die Höhe *into the air*
gerade *just*
beweisen *prove*
recht haben *be right*

anzünden *ignite*

sich verwandeln *be transformed*
die Säule *column*
das Feuer *fire*
leuchten *gleam*
jemals *ever*
der Heilige *saint*
entdecken *discover*
böse *angry*
erlauben *permit*

die Jagd *hunting*
die Geschichte *story*

das Wildschwein *wild boar*
erzählen *tell*
merkwürdig *remarkable, strange*

treffen *hit (something)*

weg *away*
stehenbleiben *stay (where one is)*
das Maul *mouth*
der Schwanz *tail*
führen *lead, guide*
durchschießen *shoot through*
der Führer *guide*

hilflos *helplessly*

einfach *simply*

die Mühe *difficulty*

weiblich *female*
gefährlich *dangerous*
männlich *male*
treffen *meet, run into*
das Gewehr *rifle, gun*

der Zahn *tooth*
stoßen nach *strike at*
der Stoß *thrust*
danebengehen *miss*
die Kraft *force*
stecken bleiben *remain stuck*
bald *soon*
kriegen *get*

der Stein *stone*

das Holz *wood*
loskommen *get loose*

Jagdgeschichten

WILDSCHWEINE

Ich erzähle Ihnen nicht von allen merkwürdigen Abenteuern, die ich in Rußland hatte; denn ich will Ihnen einige Jagdgeschichten erzählen, die noch merkwürdiger sind als meine Abenteuer in Rußland.

Als ich einmal in einem großen Wald jagte, sah ich ein kleines und dahinter ein großes Wildschwein. Ich schoß, aber ich traf nicht. Das kleine Wildschwein lief weg, aber das große blieb stehen. Als ich hinging, entdeckte ich, daß das große Wildschwein blind war. Im Maul hielt es den Schwanz des kleinen, das es geführt hatte. Ich hatte den Schwanz des kleinen Wildschweins durchschossen, so daß das große ohne Führer war. Es hatte aber noch immer das Ende des Schwanzes im Maul und stand hilflos da. Ich nahm einfach das andere Ende des Schwanzes in die Hand und führte das Tier ohne Mühe nach Hause.

Die weiblichen Wildschweine sind sehr gefährlich, aber die männlichen sind noch gefährlicher. Ich traf einmal ein sehr großes männliches Wildschwein, als ich ohne Gewehr war. Ich konnte gerade noch hinter einen Baum springen, als das Tier mit seinen Zähnen nach mir stieß. Der Stoß ging aber daneben und die Zähne des Tieres fuhren mit solcher Kraft in den Baum hinein, daß sie darin stecken blieben.

„Haha", dachte ich, „nun wollen wir dich bald kriegen!"

Schnell nahm ich einen Stein und hämmerte die Zähne noch tiefer in das Holz hinein, so daß es nicht mehr loskommen konnte.

Das Wildschwein mußte dort stehenbleiben, bis ich aus dem nächsten Dorf einen Wagen und Seile holte. Ich konnte es leicht lebendig nach Hause bringen.

nächst *nearest*
das Seil *rope*
holen *get*
lebendig *alive*

5 DER SONDERBARE HIRSCH

sonderbar *strange*
der Hirsch *stag, deer*

Sie haben sicher schon von St. Hubertus gehört, dem Schutzpatron der Jäger. Vielleicht haben Sie auch von dem großen Hirsch gehört, den er im Wald traf und der ein Kreuz zwischen dem Geweih trug. Tausendmal habe 10 ich in Kirchen Bilder dieses Hirsches gesehen. Ich weiß kaum, ob es früher wirklich einen Kreuz-Hirsch gegeben hat oder heute noch gibt. Doch will ich lieber etwas erzählen, was ich mit eigenen Augen gesehen habe.

sicher *certainly*

der Schutzpatron *patron saint*

das Kreuz *cross*
das Geweih *antlers*

kaum *hardly*
wirklich *really*
es gibt *there is*
lieber *rather*
eigen *own*

Als ich einmal im Wald war und durch Zufall keine 15 Kugel mehr hatte, traf ich den herrlichsten Hirsch der Welt. Er blieb stehen und blickte mich an, als ob er wüßte, daß ich keine Kugel mehr hatte. Schnell lud ich aber mein Gewehr statt mit einer Kugel mit einer Handvoll Kirschkernen und schoß. Der Hirsch taumelte zwar, konnte aber 20 entfliehen.

durch Zufall *by chance*

die Kugel *bullet*
herrlich *marvelous*
anblicken *look at*

laden *load*

statt *instead of*
die Kirsche *cherry*
der Kern *pit*
taumeln *stagger*
entfliehen *get away*

Zwei Jahre später jagte ich in demselben Wald. Auf einmal sah ich einen herrlichen Hirsch; er trug zwischen seinem Geweih einen Kirschbaum, mehr als zehn Fuß

auf einmal *suddenly*

das Geweih *antlers*

II. Bürgers Münchhausen 27

zu Boden legen *dispatch*

der Hirschbraten *venison*
die Tunke *sauce*

auf... Art *in the same*
way
würde *would*

die Weise *manner, way*

erklären *explain*

hoch. Mit einem Schuß legte ich ihn zu Boden. Zu meinem Hirschbraten hatte ich nun die Kirschtunke; denn der Baum war voll der schönsten Kirschen.

Wer kann nun sagen, ob nicht in alter Zeit ein jagender Bischof auf die gleiche Art das Kreuz zwischen das Geweih eines Hirsches geschossen hat? Das würde den Kreuz-Hirsch des St. Hubertus auf die natürlichste Weise erklären.

Von Pferden und Hunden

MEIN HÜHNERHUND

Ich bin immer berühmt gewesen wegen meiner Taten und wegen meiner wunderbaren Gewehre, Pferde und Hunde.

5 Von einem meiner Hunde muß ich Ihnen eine Geschichte erzählen. Er war ein Hühnerhund, so schnell und wunderbar, daß mich jeder um ihn beneidete. Tag und Nacht konnte ich mit ihm jagen. Wenn es Nacht war, hängte ich ihm einfach eine Lampe an den Schwanz. Dann
10 jagte ich mit ihm so gut oder noch besser als am Tage.

Einmal — ich war erst kurze Zeit verheiratet — wollte auch meine Frau mit auf die Jagd gehen. Ich ritt voraus und sagte ihr, sie solle gleich nachkommen. Es dauerte nicht lange, da stand mein Hund vor einigen hundert
15 Rebhühnern. Ich wartete und wartete auf meine Frau, aber sie kam nicht. Ich wußte, daß sie gleich nach mir mit meinem Leutnant und meinem Diener weggeritten war. Aber niemand war zu hören oder zu sehen. Ich wurde unruhig und ritt zurück. Auf einmal hörte ich jammernde
20 Stimmen. Es schien mir ganz in der Nähe zu sein, doch war niemand zu sehen.

Ich legte mein Ohr an den Boden. Nun hörte ich, daß dieses Jammern unter der Erde war und erkannte sofort die Stimme meiner Frau, meines Leutnants und meines
25 Dieners. Auch sah ich in der Nähe die Öffnung einer Kohlengrube. Es war kein Zweifel: meine Frau, mein Leutnant und mein Diener waren mit ihren Pferden in die Kohlengrube hineingefallen.

---

der Hühnerhund *setter*

berühmt *famous*
die Tat *deed*
das Gewehr *rifle*

beneiden um *envy*

verheiratet *married*

mit(-) *along*
voraus *ahead*
gleich *right away*
nachkommen *follow*

das Rebhuhn *partridge*
warten auf *wait for*

der Leutnant *lieutenant*
der Diener *servant*
wegreiten *leave*
niemand *no one*
unruhig *uneasy*
jammern *whine*
die Stimme *voice*
in der Nähe *close by*

der Boden *ground*

die Erde *ground, earth*
sofort *immediately*

die Öffnung *opening*

die Kohlengrube *coal mine*
der Zweifel *doubt*

hinein- *in*

befreien *liberate*

verletzt *hurt*

die Angst *anxiety*
leiden *suffer*
nicht mehr *no longer*

So schnell ich konnte, ritt ich zum nächsten Dorf, um Hilfe zu holen. Nach langer Zeit und schwerer Arbeit konnten wir alle drei und auch die Pferde befreien. Wie durch ein Wunder war niemand verletzt. Da alle aber sehr große Angst gelitten hatten, war an eine Jagd nicht mehr zu denken. Wir ritten sofort nach Hause.

Ich denke, Sie haben während dieser Geschichte schon lange meinen Hund vergessen. So werden Sie gut verstehen, daß ich auch nicht mehr an ihn dachte.

kaum *hardly*

Am nächsten Morgen mußte ich eine Reise machen und kam erst nach vierzehn Tagen wieder zurück. Kaum war ich einige Stunden zu Hause, da dachte ich wieder an meinen Hund. Meine Leute glaubten, ich hatte ihn auf die Reise mitgenommen. Nun war er nirgends zu finden. Da kam mir ein Gedanke: vielleicht war der Hund noch bei den Rebhühnern.

nirgends *nowhere*

der Gedanke *idea*

die Freude *joy*

der Platz *spot*

verlassen *leave*

Ich ritt sofort in den Wald, in dem wir vor zwei Wochen jagen wollten. Zu meiner großen Freude stand der Hund noch auf demselben Platz, wo ich ihn vor vierzehn Tagen verlassen hatte.

„Piel", rief ich.

losspringen *rush forward*

Sofort sprang er los, und ich traf mit einem Schuß fünfundzwanzig Rebhühner.

müde *tired*

um... zu *in order to*

Der Hund war aber so hungrig und müde, daß er kaum zu mir kommen konnte. Ich nahm ihn zu mir aufs Pferd, um ihn nach Hause zu bringen. Nach wenigen Tagen war er wieder so frisch wie zuvor.

30   *Lügendichtung*

DER SELTSAME HASE

Einige Wochen später half er mir ein Rätsel lösen. Ohne ihn hätte ich es nie lösen können.

Zwei Tage jagte ich einen einzigen Hasen. Mein Hund
5 fand ihn immer wieder und brachte ihn immer wieder herum. Ich konnte aber nie schießen; denn der Hase war viel zu schnell. Ich konnte es nicht verstehen. An Hexerei glaube ich nicht; denn ich habe in meinem Leben zu viele außerordentliche Dinge erlebt. Wie sollte ich mir die Ge-
10 schichte aber erklären? Da kam der Hase einmal so nahe, daß ich ihn endlich schießen konnte. Was meinen Sie, was ich nun fand?

Dieser Hase hatte vier Beine unter dem Leib und vier Beine auf seinem Rücken. Wenn die einen vier Beine müde
15 waren, drehte er sich um wie ein Schwimmer, der auf Bauch und Rücken schwimmen kann, und lief mit den anderen vier frischen Beinen weiter.

DAS LITAUISCHE PFERD

Ich denke an diesen Hund mit ebenso großer Freude
20 zurück wie an ein herrliches litauisches Pferd. Graf Prozobofsky hatte es mir in Litauen geschenkt. Mit Gold war es nicht zu bezahlen. Das war so gekommen: Ich war auf dem Schloß des Grafen Prozobofsky zu Besuch und saß mit den Damen beim Tee, während die Herren in den Hof
25 hinuntergingen, um ein neues junges Pferd zu sehen.

Plötzlich hörten wir einen lauten Schrei. Ich lief die Treppe hinunter und fand das neue Pferd so wild, daß niemand wagte, ihm nahezukommen. Die besten Reiter hatten Angst. Ich aber saß mit einem Sprung auf dem Pferd.
30 Das Pferd war sehr überrascht und gehorchte mir auch, als ich meine beste Reitkunst versuchte.

Ich wollte den Damen das Pferd und meine Reitkunst zeigen und ließ es durch ein offenes Fenster in das Teezimmer springen. Erst ritt ich im Zimmer herum und dann

II. Bürgers Münchhausen **31**

---

seltsam *odd*
der Hase *rabbit*

das Rätsel *riddle*
lösen *solve*

einzig *single*

herumbringen *bring around*

die Hexerei *witchcraft*

nahe *close*

meinen *think*

das Bein *leg*
der Leib *body*
der Rücken *back*

sich umdrehen *turn around*
der Bauch *stomach*

weiterlaufen *run on*

litauisch *Lithuanian*

ebenso *just as*

der Graf *count*

Litauen *Lithuania*
schenken *give*
war... bezahlen *couldn't be bought*
das Schloß *castle*
zu Besuch sein *be a guest*
der Hof *courtyard*
hinunter *down*

plötzlich *suddenly*
der Schrei *cry*
die Treppe *stair(s)*

wagen *dare*
nahekommen *get close to*
Angst haben *be afraid*
der Sprung *leap*
gehorchen *obey*
überrascht *astonished*
die Reitkunst *horsemanship*
versuchen *try*

zeigen *show*

auf dem Teetisch. Auf dem Tisch machte ich die ganze
Schule durch; das Pferd zerbrach dabei keine einzige Tee-
tasse.

Das gefiel den Damen und dem Grafen so gut, daß er
5 mir das Pferd schenkte. Später machte ich mit diesem
Pferd einen Krieg gegen die Türken mit. Doch davon muß
ich Ihnen erzählen.

Kurz nach Beginn des Krieges schlug ich mit meinen
Reitern die Türken in die Flucht. Wir trieben sie nicht nur
10 in ihre Stadt zurück, sondern auch durch sie hindurch. Als
ich sah, daß die Türken bei einem Tor hinein und beim
anderen wieder hinaus flohen, ritt ich auf den Marktplatz.
Hier wollte ich auf meine Reiter warten. Aber niemand
kam. Da ritt ich zum Brunnen, um mein gutes Pferd trin-
15 ken zu lassen. Es trank und trank, ohne aufzuhören. Ich
konnte mir das zuerst nicht erklären. Doch als ich mich
nach meinen Reitern umsah, sah ich den Grund. Das
ganze Hinterteil des Tieres war fort. Darum floß das Wasser hinten wieder hinaus, wie es vorne hineinkam. Ich
20 wußte nicht, wie das gekommen war.

Von der anderen Seite her sah ich nun meinen Diener
zu mir reiten. Er freute sich sehr, daß ich noch lebte und
erklärte mir die ganze außerordentliche Sache. Als ich
hinter den fliehenden Feinden her durch das Tor der Stadt
25 geritten war, hatte man das Schutzgatter fallen lassen.
Durch dieses Schutzgatter, das hinter mir herunterfiel, war
das Hinterteil meines Pferdes abgeschnitten worden. Mein
Diener erzählte, daß dieses Hinterteil durch Ausschlagen
viele Feinde getötet hatte, die erst nach mir zum Tor
30 kamen. Dann sei das Hinterteil auf eine nahe Wiese gelaufen. Dort würde ich es wahrscheinlich finden.

Sofort ritt ich auf der Vorderhälfte meines Pferdes in
einem schnellen Galopp zu dieser Wiese. Zu meiner
großen Freude fand ich das Hinterteil wirklich dort; es
35 sprang mit anderen Pferden auf der Wiese herum. Ich rief
sofort den Tierarzt. Da nichts anderes auf der Wiese vor-

machte... durch *put the horse through his paces*
zerbrechen *break*

die Tasse *cup*

gefallen *please*

mitmachen *take part in*

der Krieg *war*

in die Flucht schlagen *put to flight*
treiben *drive*

durch... hindurch *all the way through*
das Tor *gate*

fliehen *flee*

der Brunnen *fountain*

aufhören *stop*

sich umsehen *look around*
der Grund *reason*
das Hinterteil *hind part*
fort *gone*
fließen *flow*
vorne *in front*

von... her *from*

sich freuen *be glad*
leben *be alive*
die Sache *affair*

hinter... her *after*
der Feind *enemy*
das Schutzgatter *safety grate*

abschneiden *clip off*

ausschlagen *lash out*

töten *kill*

sei *had*
die Wiese *meadow*
wahrscheinlich *probably*

vorder *front, anterior*

wirklich *really*

herum *around*
der Tierarzt *veterinarian*
anderes *else*

heften *fasten*

der Lorbeersprößling
laurel sprout
die Wunde *wound*

heilen *heal*

geschehen *happen*

Wurzel schlagen *take root*
sich wölben zu *arch into*
die Laube *arbor*
der Schatten *shadow*

fähig *able*
die Reitkünste
equestrian feats

fabelhaft *fabulous, incredible*
belagern *lay siege to*

um jeden Preis *at any price*
vor sich gehen *go on*

unmöglich *impossible*
die Wache *guard*
sich schleichen *sneak*

der Mut *courage*
der Eifer *eagerness*
fast *almost*

abfeuern *fire*

die Kugel *cannon ball*

ergehen *happen to*
der Spion *spy*
erkennen *recognize*
der Galgen *gallows*
die Aussicht *prospect*

das Lager *camp*
fliegen *fly*
ganz... Nähe *very close*

was... immer *whatever*

hinter... her *after*

handen war, heftete der Tierarzt die beiden Hälften meines Pferdes mit Lorbeersprößlingen zusammen. Sehr viele dieser Sprößlinge waren gerade bei der Hand. Die Wunde heilte gut. Aber nicht nur das! Es geschah etwas, was wohl nur einem so berühmten Pferd geschehen kann. Die Lorbeersprößlinge schlugen Wurzel im Leib des Pferdes, wuchsen und wölbten sich zur Laube über mir. So ritt ich später im Schatten der Lorbeeren.

Ein Mann, der solch ein Pferd reiten kann, ist auch fähig, seine Reitkünste auf andere Weise zu zeigen. Das Abenteuer, das ich Ihnen erzählen will, ist vielleicht ein wenig fabelhaft.

Wir belagerten gerade eine Stadt. Ich weiß nicht mehr, welche es war, aber unser General wollte um jeden Preis wissen, was *in* der Stadt vor sich ging. Es war sehr schwer, ja unmöglich, sich durch alle Wachen des Feindes in die Stadt zu schleichen.

Aus Mut und Eifer stellte ich mich fast allzu schnell neben eine große Kanone. Als ein Schuß gegen die Stadt abgefeuert wurde, sprang ich auf die Kugel und ritt in die Stadt hinein. Während ich nun auf der Kugel ritt, kamen mir plötzlich einige Gedanken.

„In die Stadt kommst du wohl hinein", dachte ich, „aber wie kommst du wieder heraus? Wie wird es dir in der Stadt ergehen? Man wird dich sofort als Spion erkennen und an den nächsten Galgen hängen."

Das war alles keine schöne Aussicht. Ich wartete deshalb auf eine andere Kanonenkugel, die aus der Stadt auf unser Lager flog. Als sie ganz in der Nähe war, sprang ich von meiner Kugel auf diese andere und ritt in unser Lager zurück.

Ich bin zwar ein sehr guter Springer. Aber nicht nur ich kann so gut springen, sondern auch mein litauisches Pferd. Was auch immer im Wege war, ritt ich den geradesten und schnellsten Weg. Einmal ritt ich hinter einem Hasen her, der gerade über die Straße lief. Auf der Straße

gerade *straight*
die Kutsche *coach, carriage*
vorbei *by*

mitten... hindurch *right through the middle of*

kam aber gerade zwischen dem Hasen und mir eine Kutsche mit zwei schönen Damen vorbei. Da die Fenster der Kutsche offen waren, sprang mein Pferd mit mir einfach hindurch. Wir sprangen so schnell mitten durch die

sich entschuldigen *excuse oneself*

der Sumpf *marsh*

breit *wide, broad*
umwenden *turn around*

der Anlauf *running start*

der Hals *neck*
bestimmt *definitely*
rettend *which saved me*

packen *take hold of*

die Kraft *strength*

Kutsche hindurch, daß ich kaum Zeit fand, meinen Hut abzunehmen und mich bei den Damen zu entschuldigen.

Ein anderes Mal wollte ich mit meinem Pferd über einen Sumpf springen. Der Sumpf hatte recht klein ausgesehen. Als ich mitten im Sprung war, sah ich, daß der Sumpf viel breiter war, als ich gedacht hatte. Ich wendete mitten in der Luft um und kam wieder zurück. Beim zweiten Mal nahm ich einen größeren Anlauf, doch sprang ich wieder zu kurz und landete mitten im Sumpf. Schnell sank ich bis zum Halse hinein. Ich wäre bestimmt nicht am Leben, wenn ich nicht eine rettende Idee gehabt hätte. Ich nahm mein Pferd fest zwischen meine Knie, packte mich mit aller Kraft an meinen eigenen Haaren und zog mich und das Pferd aus dem Sumpf heraus.

Als Gefangener bei den Türken

Trotz meines Mutes und meiner Klugheit und trotz der Schnelligkeit meines Pferdes wurde ich von den Türken gefangen. Ich war nicht nur Gefangener der Türken, sondern es war noch schlimmer. Ich wurde als Sklave ver-
5 kauft, wie das in der Türkei üblich ist.

Meine Arbeit als Sklave war nicht schwer, aber umständlich. Ich hatte am Morgen die Bienen des Sultans auf die Weide zu treiben. Dort mußte ich den ganzen Tag bei ihnen bleiben. Abends mußte ich die Bienen wieder zurück
10 in ihre Stöcke treiben.

Eines Abends vermißte ich eine Biene. Ich suchte sie und sah, daß zwei Bären sie überfallen hatten. Die Bären wollten die Biene wegen ihres Honigs töten. Ich hatte keine Waffe als eine kleine silberne Axt, das Symbol der Gärtner
15 und Landarbeiter des Sultans. Diese kleine silberne Axt warf ich nach den zwei Bären. Sie erschraken, und die arme Biene konnte entfliehen.

Durch einen zu starken Schwung meines Armes flog die silberne Axt immer weiter. Sie stieg höher und höher
20 empor, bis sie auf den Mond niederfiel. Wie sollte ich sie nun wiederkriegen?

Da erinnerte ich mich, daß türkische Bohnen sehr schnell zu größter Höhe emporwachsen. Sofort planzte ich eine solche Bohne. Wirklich wuchs sie schnell empor
25 und schlang sich um ein Horn des Mondes. Nun kletterte ich an der Pflanze empor und erreichte glücklich den Mond.

Es war aber nicht leicht, meine kleine silberne Axt zu

der Gefangene *prisoner*

die Klugheit *intelligence*

wurde *was*

fangen *capture*

schlimmer *worse*
verkaufen *sell*
üblich *customary*

umständlich *troublesome*

die Biene *bee*
auf die Weide treiben
drive to pasture

der Stock *hive*

vermissen *be missing*

überfallen *fall upon*

der Honig *honey*

die Waffe *weapon*

der Landarbeiter *farm
worker*
werfen nach *throw at*
erschrecken *be startled*

der Schwung *swing*

emporsteigen *rise, climb*

nieder *down*

wiederkriegen *get back*

sich erinnern *remember*
die Bohne *bean*
die Höhe *height*
emporwachsen *grow (up)*

sich schlingen *wind*

emporklettern *climb up*
erreichen *reach*

glänzen *glitter*

der Haufen Stroh *pile of straw*

zurückkehren *go back*

inzwischen *meanwhile*
austrocknen *dry out*

flechten *make, weave*

das Seil *rope*
befestigen *fasten*

bis an *as far as*

abschneiden *cut off*

anknüpfen *tie on*
unten *below*

reißen *break*

die Wolke *cloud*

die Wucht *force*

das Loch *hole*
schlagen *strike*

die… erfinderisch *necessity is the mother of invention*
graben *dig*

finden; denn hier auf dem Mond glänzte alles wie Silber. Erst nach langer Zeit fand ich die Axt auf einem Haufen Stroh.

Nun wollte ich wieder zurückkehren. Da die Sonne aber inzwischen meine Bohne ausgetrocknet hatte, konnte ich nicht mehr an ihr hinuntersteigen. Was sollte ich tun? Wieder hatte ich eine gute Idee. Aus dem Stroh flocht ich ein Seil, das ich an einem Horn des Mondes befestigte. Langsam ließ ich mich daran herunter. Mit der rechten Hand hielt ich meine Axt.

Immer weiter ging es hinunter. Wenn ich bis ans Ende des Seils hinuntergestiegen war, schnitt ich ein Stück über mir ab und knüpfte es unten wieder an. In dieser Weise kam ich sehr weit hinunter, doch das viele Abschneiden machte mein Seil nicht besser. Endlich riß es, als ich noch ein paar Meilen hoch in den Wolken war. Ich fiel so schnell zur Erde, daß ich mehr tot als lebendig war.

Mit solcher Wucht landete ich endlich, daß ich ein tiefes Loch in die Erde schlug. Als ich erwachte, lag ich in einem Loch, das über fünfzig Fuß tief war. Ich wußte erst nicht, wie ich herauskommen sollte. Die Not macht aber erfinderisch. Mit meinen Fingernägeln grub ich eine Treppe, stieg aus dem Loch heraus und konnte endlich zu Bett gehen.

Auf der Rückreise nach Deutschland

Als man kurze Zeit später Frieden machte, durften die Gefangenen wieder nach Hause gehen. Da mein litauisches Pferd in der Türkei blieb, mußte ich mit anderen Leuten in einem großen Wagen nach Hause reisen. Es 5 war damals in ganz Europa ein außerordentlich strenger Winter. Der Kutscher des Wagens fror sehr. Von Zeit zu Zeit gab er mit seinem Horn ein Zeichen.

Es wurde immer kälter, als wir in einen engen Paß kamen. Unser Kutscher blies nun wieder in sein Horn. Er 10 wollte durch seine Melodien ein Zeichen geben; denn es konnte zu gleicher Zeit ein anderer Wagen durch den Paß fahren. Wie viel aber unser Kutscher auch blies, es kam kein Ton aus dem Horn. Ein paar Minuten später kam wirklich ein anderer Wagen durch den Paß, der so eng 15 war, daß keiner am anderen vorbeifahren konnte. Auch konnte kein Wagen umdrehen, und niemand wußte zu helfen.

Da stieg ich aus unserem Wagen, um die Pferde vom Wagen zu lösen. Dann nahm ich ihn und sprang mit ihm 20 über den anderen Wagen. Ich sprang zurück, nahm unter jeden Arm ein Pferd und sprang auch mit ihnen über den anderen Wagen. Nun konnten wir die Reise fortsetzen.

In dem nächsten Wirtshaus erholten wir uns von unserem Abenteuer in dem Paß. Der Kutscher hängte sein 25 Horn an die Wand an einen Nagel beim Küchenfeuer, und ich setzte mich ihm gegenüber.

Nun hören Sie, was geschah! Auf einmal ging es: Tereng! Tereng! Teng! Teng!

die Rückreise *return trip*

der Friede *peace*

damals *at that time*
streng *severe*
der Kutscher *coachman*
das Zeichen *signal*
eng *narrow*
blasen *blow*

zu gleicher Zeit *at the same time*

umdrehen *turn around*

lösen *untie*

fortsetzen *continue*
das Wirtshaus *inn*
sich erholen *recover*
die Wand *wall*
das Küchenfeuer *kitchen fire*
gegenüber *facing*

Wir machten große Augen und fanden auf einmal den Grund, warum der Kutscher sein Horn nicht hatte blasen können. Die Töne waren in dem Horn festgefroren. Als sie nun auftauten, kamen sie hell und klar heraus. Das Horn
5 an der Wand spielte uns die schönsten Melodien, ohne daß der Kutscher den Mund an das Horn brachte.

Mit dem schönen Lied „Nun ruhen alle Wälder" endete dieser Spaß, wie auch meine russische Reisegeschichte damit endet.

10 Viele Reisende sind manchmal imstande, mehr zu erzählen als wirklich wahr ist. Daher ist es kein Wunder, wenn Leser oder Zuhörer manchmal ein wenig Zweifel haben. Wenn jemand aber an meinen Erzählungen Zweifel haben sollte, so muß ich ihn bemitleiden und bitten, sich
15 zu entfernen, bevor ich beginne, meine Seeabenteuer zu erzählen. Denn diese sind noch wunderbarer, aber ebenso authentisch.

festgefroren *frozen fast*
auftauen *thaw*

das Lied *song*
ruhen *rest, sleep*
der Spaß *amusement*
russisch *Russian*

manchmal *sometimes*
imstande *capable (of)*
daher *therefore*

der Zuhörer *listener*
der Zweifel *doubt*
die Erzählung *story*

bemitleiden *pity*

sich entfernen *leave*

Die Seeabenteuer

DER STURM

Die erste Reise, die ich in meinem Leben machte, war eine Seereise. Ich machte sie, lange bevor ich die Abenteuer in Rußland erlebte, die ich schon erzählt habe.

Ich war noch sehr jung und hatte noch keinen richtigen Bart, als ich nur an das Reisen dachte. Auch mein Vater hatte viele Reisen gemacht, als er jung war; er hat mir davon an Winterabenden oft erzählt. Dies war auch ein Grund, daß ich nichts so sehr wünschte, wie zu reisen. Immer wieder bat ich, reisen zu dürfen; ich versuchte alles, doch ohne Erfolg. Wenn ich meinen Vater halb gewonnen hatte, dann sagten die Mutter und Tante nein. Damit war alles verloren, und ich mußte von neuem beginnen.

Eines Tages half mir aber der Besuch eines Verwandten meiner Mutter. Ich wurde bald sein Liebling. Er versprach, bei Vater und Mutter für mich zu reden, und er hatte wirklich Erfolg. Zu meiner großen Freude durfte ich ihn auf einer Reise begleiten. Sie führte nach Ceylon, wo sein Onkel viele Jahre Gouverneur gewesen war.

Unser Schiff fuhr von Amsterdam ab. Wir reisten im Auftrag des holländischen Staates.

Während der langen Reise hatten wir nur ein einziges außerordentliches Erlebnis, einen großen Sturm. Von diesem Sturm muß ich Ihnen erzählen.

Wir gingen gerade bei einer Insel vor Anker und wollten uns mit Holz und Wasser versorgen, als der Sturm losbrach. Er war so stark, daß er viele Bäume von großer

erleben *witness*

richtig *real*

der Bart *beard*

wünschen *desire*

versuchen *try*

der Erfolg *success*

gewinnen *win over*

verlieren *lose*
von neuem *all over again*

der Besuch *visit*
der Verwandte *relative*
der Liebling *favorite*
versprechen *promise*
reden *speak*

begleiten *accompany*

abfahren *leave*

im Auftrag von *on behalf of*
holländisch *Dutch*

das Erlebnis *experience*

die Insel *island*
vor Anker gehen *cast anchor*
versorgen *provide, get*
losbrechen *start, break out*

44 *Lügendichtung*

Höhe und Dicke aus der Erde riß und in die Luft davon-
trug. Die Bäume flogen so hoch in der Luft, daß sie wie
ganz kleine Vogelfedern aussahen, obwohl sie mehrere
hundert Zentner schwer waren.

Als der Sturm sich legte, fiel jeder Baum in seine Stelle
und schlug wieder Wurzeln. Alles sah fast wieder so aus
wie vorher. Nur der größte Baum machte eine Ausnahme.
Als der Sturm diesen Baum aus der Erde gerissen hatte,
saßen gerade ein Mann und eine Frau auf ihm. Sie hatten
Gurken gepflückt, die in jenem Teil der Welt auf Bäumen
wachsen. Der Mann und die Frau machten mit dem Baum
die Fahrt durch die Luft mit. Durch ihr Gewicht wich der
Baum von der Richtung ab, als er wieder zurückfiel. Er
fiel an einer ganz anderen Stelle zu Boden.

Während des Sturmes hatten alle Einwohner der Insel
ihre Wohnungen verlassen, aus Angst. Auch der Fürst
oder Kazike der Insel war aus seiner Wohnung geflohen.
Er wollte gerade durch den Garten in sein Haus zurück-
gehen, als jener Baum herabfiel und ihn glücklicherweise
auf der Stelle tötete.

„Glücklicherweise?"

Ja, ja, glücklicherweise. Denn dieser Kazike war der
böseste Tyrann, und die Einwohner der Insel, sogar seine
Minister und seine Familie waren die ärmsten Geschöpfe
der Welt. In seinen Magazinen verdarben die Lebensmittel
während die Einwohner der Insel vor Hunger nicht wußten, was sie tun sollten.

Die Menschen, die auf der Insel lebten, hatten keine
auswärtigen Feinde. Dennoch holte sich der Kazike jeden
jungen Mann und schlug ihn so lange, bis er ein „Held"
geworden war. Von Zeit zu Zeit verkaufte er dann eine
Gruppe solcher jungen Männer als Soldaten an andere
Fürsten. Er tat es nur, um zu den Millionen Muscheln, die
er von seinem Vater geerbt hatte, neue Millionen Muscheln
zu legen.

Man sagte uns, er hätte diese Grundsätze von einer

reißen *pull*
davontragen *carry away*

die Vogelfeder *bird's feather*
obwohl *although*
der Zentner *hundred-weight*
sich legen *subside*
die Stelle *place*
vorher *before*
die Ausnahme *exception*

die Gurke *cucumber*
pflücken *pick*

das Gewicht *weight*
abweichen *digress*
die Richtung *direction*

der Boden *ground*

der Einwohner *inhabitant*

die Angst *fear*
der Fürst *prince*
der Kazike *chief*

herab *down*

die Stelle *spot*

glücklicherweise *fortunately*

sogar *even*

das Geschöpf *creature*

das Magazin *warehouse*
verderben *spoil*
die Lebensmittel *foodstuffs*

auswärtig *foreign*

schlagen *beat*

verkaufen *sell*

die Gruppe *group*

die Muschel *shell*

erben *inherit*

der Grundsatz *principle*

der Insulaner *islander*

Kanarisch *Canary*

die Spazierfahrt *pleasure trip*
Grönland *Greenland*
bedeuten *mean*
das Paar *couple*
dankbar *grateful*
der Dienst *service*
leisten *perform*

nahe *close*

dennoch *nevertheless*

wann immer *whenever*

Gott erhalte *may God save*

leiden *suffer*

instand setzen *repair*

ankommen *arrive*

einladen *invite*

gewöhnt an *used to*

das Ufer *bank*
reißend *rapid*
der Strom *stream*

sich umdrehen *turn around*
der Löwe *lion*
auf... zu *toward*
genau *precisely*
das Frühstück *breakfast*
die Erlaubnis *permission*
überlegen *reflect*
die Bestie *beast*
schrecken *frighten*
verwunden *wound*

wütend *furious*
losspringen auf *rush at*
vernünftig *reasonable*
die Überlegung *reflection*

schaudern *shudder*

Reise nach dem Norden mitgebracht. Was war aber der Norden? Bei diesen Insulanern kann eine Reise nach dem Norden ebenso eine Reise nach den Kanarischen Inseln wie eine Spazierfahrt nach Grönland bedeuten.

Die Inseleinwohner waren dem Paar, das Gurken ge- 5
pflückt hatte, sehr dankbar für den Dienst, den es ihnen geleistet hatte. Aus Dank setzte man das Paar auf den Thron.

Der Mann und die Frau waren auf ihrer Fahrt durch die Luft der Sonne so nahe gekommen, daß sie das Licht 10
ihrer Augen und auch einen Teil ihres inneren Lichts verloren hatten. Dennoch regierten sie so gut, daß jeder Einwohner der Insel sagte — wann immer er Gurken aß: „Gott erhalte den Kaziken!"

AUF CEYLON 15

Unser Schiff hatte durch den Sturm sehr gelitten. Als wir es wieder instand gesetzt hatten, fuhren wir weiter und kamen nach sechs Wochen in Ceylon an.

Wir waren schon vierzehn Tage in Ceylon, als mich der älteste Sohn des Gouverneurs einlud, mit ihm auf die 20
Jagd zu gehen. Mein Freund war ein großer starker Mann, und er war an das heiße Klima gewöhnt. Ich aber war nach kurzer Zeit so müde, daß ich bald hinter ihm zurückblieb.

Ich wollte mich im Wald, am Ufer eines reißenden Stromes gerade niedersetzen, als ich hinter mir etwas hör- 25
te. Ich drehte mich um und sah einen Löwen. Er kam auf mich zu, und ich wußte genau, daß er mich zu seinem Frühstück machen wollte, ohne um Erlaubnis zu fragen. Ich hatte nicht Zeit, lange zu überlegen und schoß auf die Bestie. Ich hoffte, sie zu schrecken, vielleicht zu verwun- 30
den. In meiner Angst hatte ich aber zu früh geschossen. Der Löwe wurde wütend und sprang auf mich los. Mehr aus Instinkt als aus vernünftiger Überlegung versuchte ich etwas Unmögliches: Ich versuchte zu entfliehen. Ich drehte mich um — ich schaudere noch heute, wenn ich 35

46   Lügendichtung

daran denke — wenige Schritte vor mir stand ein großes Krokodil und riß schon seinen Rachen auf, um mich zu verschlingen.

Stellen Sie sich vor, wie entsetzlich meine Situation
5 war! Vor mir das Krokodil, hinter mir der Löwe, links von mir ein reißender Strom, rechts von mir ein Abgrund. Später hörte ich, daß er voll giftiger Schlangen war.

Ohnmächtig — und das war einem Herkules in dieser Situation nicht übelzunehmen — fiel ich nieder. Mein
10 letzter Gedanke war die entsetzliche Erwartung, im nächsten Augenblick die Zähne des wütenden Löwen zu fühlen oder im Rachen des Krokodils zu stecken. Doch in wenigen Sekunden hörte ich einen starken, fremden Ton. Ich wagte es endlich, meinen Kopf zu heben. Was sah ich? Zu
15 meiner großen Freude fand ich, daß der Löwe in dem Augenblick, in dem ich ohnmächtig wurde, über mich hinweg gesprungen war und nun mit seinem Kopf im Rachen des Krokodils steckte. Beide versuchten, sich voneinander loszumachen. Gerade zur rechten Zeit sprang ich
20 auf und schlug dem Löwen mit meinem Messer den Kopf ab. Darauf rammte ich den Kopf des Löwen tiefer in den Rachen des Krokodils hinein, so daß es an dem Löwenkopf erstickte.

Bald darauf kam mein Freund, um zu sehen, warum
25 ich zurückgeblieben war. Nach vielen Glückwünschen maßen wir das Krokodil. Es war vierzig Fuß und sieben Zoll lang.

Sobald wir dem Gouverneur dieses außerordentliche Abenteuer erzählt hatten, schickte er einen Wagen mit
30 einigen Leuten aus und ließ die beiden Tiere nach seinem Hause holen. Aus dem Fell des Löwen machte man mir Tabaksbeutel. Einige schenkte ich Bekannten von mir in Ceylon; andere schenkte ich mehreren Bürgermeistern in Holland nach der Rückkehr von meiner Seereise. Das
35 Krokodil wurde auf die gewöhnliche Art ausgestopft, und ich schenkte es dem Museum in Amsterdam.

der Schritt *step*

aufreißen *open*
der Rachen *mouth*
verschlingen *gulp down*

sich vorstellen *imagine*
entsetzlich *horrible*

der Abgrund *chasm*

giftig *poisonous*
die Schlange *snake*
ohnmächtig *unconscious*

war übelzunehmen
  could be blamed for
nieder *down*
der Gedanke *thought*
die Erwartung
  expectation
stecken *stick, be*

der Ton *sound*

wagen *dare*

über... hinweg *clear
  over*

sich losmachen *get away*

auf *up*
abschlagen *chop off*
darauf *thereupon*

ersticken *choke*

der Glückwunsch
  congratulation
messen *measure*

der Zoll *inch*

sobald *as soon as*

schicken *send*

holen lassen *send for*

das Fell *skin*

der Tabaksbeutel
  tobacco pouch
der Bekannte
  acquaintance
die Rückkehr *return*

gewöhnlich *usual*
ausstopfen *stuff*

Der Museumsdiener in Amsterdam erzählt übrigens große Lügen über mich und meine Abenteuer. Er sagt zum Beispiel, der Löwe sei ganz durch das Krokodil hindurchgesprungen, und ich habe dann den Kopf des Löwen und
5 drei Fuß vom Schwanz des Krokodils abgehauen. Der Museumsdiener erzählt auch: das wütende Krokodil riß dem weltberühmten Baron — so nannte er mich immer — das Messer aus der Hand und verschlang es so schnell, daß es mitten durch sein Herz fuhr. Es verlor so sein Leben auf
10 der Stelle.

Ich brauche Ihnen nicht zu sagen, wie unangenehm mir solche Lügen sind. Leute, die mich nicht kennen, beginnen vielleicht, selbst an die Wahrheit meiner wirklichen Taten nicht zu glauben.

15 ALS GEFANGENER EINES FISCHES

Einmal war ich im Mittelmeer in großer Gefahr, sterben zu müssen. Ich schwamm an einem Sommernachmittag in dem angenehmen schönen Mittelmeer. Da kam ein großer Fisch mit aufgerissenem Rachen auf mich zu-
20 geschwommen. Er schwamm so schnell, daß ich nicht entfliehen konnte. Ich machte mich so klein wie möglich, indem ich die Füße heraufzog und die Arme eng an den Leib legte. In dieser Stellung glitt ich zwischen seinen Zähnen durch bis in den Magen. Hier war es sehr dunkel
25 aber auch angenehm warm.

Da der Fisch durch mich bald Magenschmerzen bekam, wäre er mich gerne wieder losgeworden. Weil ich in dem großen Magen des Fisches mehr als genug Raum hatte, spielte ich manchen Schabernak und machte seine
30 Magenschmerzen noch schlimmer.

Nichts schien ihn mehr zu stören als die schnelle Bewegung meiner Füße, als ich einen schottischen Triller tanzte. Der Fisch schrie entsetzlich laut und hob sich mit halbem Leib aus dem Wasser. Dadurch sahen ihn aber Seeleute eines italienischen Schiffes, das in der Nähe

---

der Museumsdiener *guard*
übrigens *incidentally*

sei *had*
durch... hindurch *through*

der Schwanz *tail*
abhauen *chop off*
reißen *rip*

weltberühmt *world famous*

unangenehm *distasteful*

die Wahrheit *truth*

das Mittelmeer *Mediterranean*

angenehm *agreeable, pleasant*
aufgerissen *wide open*

auf... zuschwimmen *swim toward*

indem *by*
eng an *closely to*
die Stellung *position*
gleiten *glide*
der Magen *stomach*

die Magenschmerzen *stomachache*
wäre er mich gerne losgeworden *would liked to have gotten rid of*

Schabernak spielen *play a practical joke*

stören *bother*

die Bewegung *movement*
der schottische Triller *Scotch Highland fling*
entsetzlich *horribly*

die Seeleute *sailors*
in der Nähe *close by*

vorbei *past*
erlegen *kill*
die Harpune *harpoon*

aufschneiden *cut open*
das Öl *oil*

das Dutzend *dozen*
der Platz *room*
merken *notice*

erblicken *see*

erretten *save*

erstaunt *astonished*

die Stimme *voice*

nackt *naked*

die Erfrischung *refreshment*
die Kleider *clothes*

Marmara-Meer *Sea of Marmara*
die Aussicht auf *view of*
das Serail *(Turkish) castle, harem*

betrachten *look at*
sonderbar *strange*
die Kugel *ball*

der Erfolg *success*

vorbeifuhr. Nach wenigen Minuten erlegten ihn die italienischen Seeleute durch Harpunen. Als er an Bord gebracht war, hörte ich die Leute miteinander sprechen. Sie wußten nicht, wie sie ihn aufschneiden sollten, um so viel Öl wie möglich zu gewinnen. Ich hatte große Angst, daß ihre Messer auch mich aufschneiden könnten; darum stellte ich mich in die Mitte des Magens, wo für mehr als ein Dutzend Mann Platz war. Als ich merkte, daß die Seeleute mit dem Aufschneiden des Magens begannen, verlor ich meine Angst. Sobald ich etwas Licht erblickte, schrie ich 10 laut, wie schön es wäre, die Herren zu sehen und daß sie mich aus einer Situation errettet, in der ich fast gestorben wäre.

Die italienischen Seeleute waren sehr erstaunt, als sie aus dem Magen des Fisches die Stimme eines Menschen 1 hörten. Noch mehr erstaunt waren sie, als ein nackter Mensch aus dem Magen herauskam und ihnen die ganze Geschichte erzählte. Das Abenteuer hatte mehr als drei Stunden gedauert; so lange war ich in dem Magen der Bestie gewesen. 2

Ich nahm einige Erfrischungen zu mir, sprang in die See und schwamm zurück ans Land, wo ich meine Kleider fand, wie ich sie gelassen hatte.

DER LUFTBALLON

Als ich in der Türkei lebte, fuhr ich oft mit einem 2 kleinen Schiff auf dem Marmara-Meer. Hier hatte man die schönste Aussicht auf ganz Istanbul und auf das Serail des Großsultans. Als ich einmal den schönen blauen Himmel betrachtete, erblickte ich ein sonderbares rundes Ding in der Luft, so groß wie eine Billardkugel. Von dieser Kugel 3 hing etwas herab. Ich nahm mein bestes und längstes Gewehr und schoß nach dem runden Ding in der Luft. Der erste Schuß und der zweite waren ohne Erfolg. Erst der dritte Schuß machte an einer Seite ein Loch und brachte das Ding herab.

der Ballon *balloon*

die Kuppel *cupola, dome*

das Schaf *sheep*
braten *roast*
scheinen *seem*

der Kreis *circle*

der Franzose *Frenchman*

die Tasche *pocket*

die Uhrkette *watch
   chain*
der Anhänger *locket*
abmalen *paint*
das Knopfloch
   buttonhole
die Medaille *medal*
kostbar *costly*
der Geldbeutel *purse*
die Erde *ground*
die Menschheit *mankind*

ausgeben *spend*

Wie sehr war ich erstaunt, als ein goldener Wagen, der an einem großen Ballon hing, herabsank. Der Ballon war größer als die größte Kuppel. Sofort fuhr ich mit meinem Schiff dahin. In dem goldenen Wagen waren ein Mann und ein halbes Schaf, das gebraten zu sein schien. Mit meinen Leuten machte ich um diese sonderbare Gruppe einen Kreis.

Der Mann schien ein Franzose zu sein und war es auch. Aus jeder seiner Taschen hingen ein paar wunderbare Uhrketten mit Anhängern, auf denen große Herren und Damen abgemalt waren. Aus jedem Knopfloch hing ihm eine goldene Medaille und an jedem Finger steckte ein kostbarer Ring mit Diamanten. In seinen Taschen hatte er volle Geldbeutel, die ihn fast zur Erde zogen.

Mein Gott, dachte ich, der Mensch muß der Menschheit sehr viel geholfen haben, daß ihm die großen Herren und Damen so viel geschenkt haben. Die großen Herren und Damen geben doch ungern etwas aus.

52   *Lügendichtung*

Der Mann war von seiner Fahrt durch die Luft und von seinem Sturz so erschöpft, daß er zunächst gar nicht sprechen konnte. Als er sich etwas erholt hatte, erzählte er folgendes:

5 „Dieses Luftfahrzeug habe ich zwar nicht erfunden, aber ich wagte es, es zu benützen und einige Male damit in die Luft emporzufahren. Vor sieben oder acht Tagen — ich weiß nicht mehr genau, wann es war — stieg ich von Cornwall in England in die Luft empor. Ich nahm ein
10 Schaf mit, um mit ihm vor vielen tausend Zuschauern Kunststücke zu machen. Leider drehte sich der Wind und trug mich nicht nach Exeter, wie ich wollte, sondern über das Meer hinaus. Wahrscheinlich bin ich die ganze Zeit in größter Höhe über das Meer geflogen.

15 „Es war gut, daß ich zu meinen Kunststücken ein Schaf mitgenommen hatte, obwohl ich gar nicht dazukam, Kunststücke zu machen; denn am dritten Tag meiner Reise wurde mein Hunger so groß, daß ich das Schaf schlachten mußte. Ich war gerade hoch über dem Mond und der
20 Sonne so nahe, daß ich mir die Augenbrauen versengte. Ich legte das tote Schaf auf den Platz im Wagen, wo die Sonne die größte Kraft hatte. Es war der Platz, wo der Ballon keinen Schatten hinwarf. Die Sonne hat mir in drei Viertelstunden das Schaf ganz gebraten. Von diesem Braten
25 habe ich die ganze Zeit gelebt. Der Grund meiner langen Reise war aber, daß die Schnur riß, die an einer Klappe am Ballon befestigt war und die dazu diente, das Gas herauszulassen.

„Hätten Sie nicht auf den Luftballon geschossen,
30 würde ich wohl wie Mohammed bis an den Jüngsten Tag zwischen Himmel und Erde geschwebt haben."

Der Franzose schenkte seinen Wagen meinem Bootsmann, der hinten im Schiff stand. Seinen Braten warf er ins Meer. Der Ballon war aber durch den Schuß und durch
35 den Sturz ganz in Stücke zerrissen.

der Sturz *fall*
erschöpft *exhausted*
zunächst *at first*
sich erholen *recover*

das Luftfahrzeug *aircraft*
erfinden *invent*
benützen *use*

empor *up*

der Zuschauer *spectator*
das Kunststück *trick*
leider *unfortunately*

tragen *carry*

wahrscheinlich *probably*

die Höhe *height*

nicht dazukommen
  never get a chance

schlachten *butcher*

die Augenbrauen
  eyebrows
sich versengen *singe*

die Kraft *strength*

der Grund *reason*

die Schnur *cord*
die Klappe *valve*
befestigen *fasten*
dazu dienen, daß *serve
  the purpose of*

der Jüngste Tag
  doomsday
schweben *float*

zerreißen *tear (to pieces)*

Meine außerordentlichen Diener

Da wir Zeit haben, eine neue Flasche Wein zu trinken, will ich Ihnen noch eine Geschichte erzählen.

Ich war dem Sultan durch die Botschafter des deutschen und russischen Kaisers sowie des französischen Königs vorgestellt worden. Daher kannte mich der Sultan und sandte mich in einer wichtigen und geheimen Mission nach Kairo.

Ich reiste mit großem Gefolge ab und nahm auch unterwegs einige neue und sehr brauchbare Diener auf. Ich war erst wenige Meilen gereist, als ich einen kleinen Mann traf, der sehr schnell gelaufen kam. Dennoch trug er an jedem Bein ein schweres Gewicht von fünfzig Pfund.

Erstaunt über diesen Läufer, rief ich ihn an: „Wohin so schnell, mein Freund? Und warum hast du so schwere Gewichte an deinen Beinen?"

„Ich lief", antwortete der Läufer, „seit einer halben Stunde aus Wien, wo ich bis jetzt bei einem hohen Herrn diente. Ich möchte nach Istanbul gehen, um in einen neuen Dienst einzutreten. Durch die Gewichte an meinen Beinen wollte ich meine große Schnelligkeit ein wenig herabsetzen. Sie ist jetzt nicht notwendig; denn ich habe keine Eile."

Der Name des Läufers war Asahel; er gefiel mir ausgezeichnet. Ich fragte ihn, ob er bei mir in Dienst treten wolle. Er tat es, und wir reisten zusammen durch manche Stadt, durch manches Land.

Nicht weit vom Weg lag ein anderer Mann im Gras ganz still und hielt sein Ohr zur Erde, als hätte er die Einwohner der untersten Hölle behorchen wollen.

---

der Botschafter
  ambassador

der König *king*
vorstellen *introduce*
wichtig *important*
geheim *secret*

abreisen *leave*
das Gefolge *retinue*
unterwegs *on the way*
aufnehmen *hire*
brauchbar *useful*

das Bein *leg*
das Gewicht *weight*

Wien *Vienna*
hoch *of high rank*

eintreten in *begin*

herabsetzen *lessen*

notwendig *necessary*
Eile haben *be in a hurry*
(einem) ausgezeichnet
  gefallen *like very much*
in Dienst treten *enter
  service*

weit *far*
der Weg *road*
unterst *lowest*
die Hölle *hell*
behorchen *listen to*

„Was hörst du da, mein Freund?" fragte ich ihn.

„Ich höre zum Zeitvertreib das Gras wachsen", antwortete er.

zum Zeitvertreib as a pastime

„Das kannst du?"

„Es ist eine Kleinigkeit."

die Kleinigkeit small matter

„So tritt in meinen Dienst, Freund! Wer weiß, wozu ich das brauchen kann."

Der Mann sprang auf und folgte mir. Nicht weit davon stand ein Jäger auf einem Hügel und schoß mit seinem Gewehr in die leere, blaue Luft.

der Hügel hill

leer thin

„Viel Glück, Herr Jäger!" sagte ich. „Doch was schießt du? Ich sehe nichts als leere, blaue Luft."

das Glück luck

nichts als nothing but

„Ich versuche nur das neue Kuchenreutersche[1] Gewehr. Auf der Spitze der Kathedrale von Straßburg saß ein Vogel. Den schoß ich gerade ab."

die Spitze top

abschießen shoot down

Wer meine Passion für die edle Jagd kennt, der kann sich denken, daß ich diesem großen Schützen sofort um den Hals fiel. Auch er trat in meinen Dienst.

edel noble

sich denken imagine
der Schütze sharpshooter
um den Hals fallen embrace

Wir reisten weiter durch viele Städte und Länder und kamen endlich zum Berg Libanon. Vor einem großen Wald stand dort ein starker Kerl, der rund um den ganzen Wald einen Strick geschlungen hatte.

Libanon Lebanon

der Kerl fellow
rund um all around
der Strick rope
schlingen tie, wind

„Warum ziehst du an diesem Strick?" fragte ich ihn.

„Ich soll Holz holen", antwortete er, „und habe meine Axt vergessen. Darum muß ich mir helfen so gut es geht."

Nach diesen Worten zog er mit einem Ruck den ganzen Wald, eine Quadratmeile groß, vor meinen Augen nieder. Natürlich nahm ich auch diesen Mann in meinen Dienst.

der Ruck tug, jerk

die Quadratmeile square mile
nieder down

Wir setzten unsere Reise fort und kamen nach Ägypten. Hier erhob sich auf einmal ein großer Sturm. Er war so stark, daß er fast alle meine Wagen und Pferde umgeblasen und davongetragen hätte. Auf der linken Seite un-

fortsetzen continue

sich erheben arise

umblasen blow over

davontragen carry off

---

[1] Bekannter Fabrikant von Pistolen und Gewehren.

die Windmühle *windmill*
der Flügel *sail*
blitzschnell *as fast as lightning*

sich zuhalten *hold*
das Nasenloch *nostril*
die Not *difficulty*
grüßen *greet*
höflich *courteously*

aufhören *stop*

der Vorfall *incident*

sitzt... Leibe *has the devil gotten into you*

der Windmüller *miller*
damit *so that*

brauchbar *useful*

das Wunderding *wonderful thing*

(einem) der Atem ausgehen *lose one's breath*

ausführen *carry out*

entlassen *dismiss*
die Ausnahme *exception*

gewiß *certainly*

die Überschwemmung *flooding*
nun *well*

steigen *rise*

steckenbleiben *get stuck*

seres Weges standen sieben Windmühlen, deren Flügel sich blitzschnell drehten. Nicht weit davon, auf der rechten Seite des Weges, stand ein Kerl so dick wie Sir John Falstaff und hielt sich mit einem Finger sein rechtes Nasenloch zu. Sobald er unsere Not in dem Sturm sah, grüßte er höflich und zog seinen Hut tief vor mir. Auf einmal hatte der Sturm aufgehört und alle sieben Windmühlen standen still.

Erstaunt über diesen Vorfall fragte ich ihn: „Kerl, was ist das? Sitzt dir der Teufel im Leibe, oder bist du der Teufel selbst?"

„Ich bitte um Vergebung, Exzellenz", antwortete mir der Mensch. „Ich mache da nur für meinen Herrn, den Windmüller, etwas Wind. Damit ich aber die sieben Windmühlen nicht ganz umblase, muß ich mir ein Nasenloch zuhalten."

Der Mann ist brauchbar, dachte ich mir. Wie gut kann ich ihn brauchen, wenn ich wieder zu Hause bin. Wenn ich dann alle die Wunderdinge erzähle, die ich auf meinen Reisen zu Wasser und zu Land erlebt habe, könnte mir leicht der Atem ausgehen. Wie gut, wenn ich dann einen solchen Windmacher zur Hand habe. Darum nahm ich auch ihn in meinen Dienst. Er ließ seine Windmühlen stehen und folgte mir.

Als wir nach Kairo kamen, führte ich sofort alles aus, was ich für den Sultan auszuführen hatte. Sobald dies geschehen war, entließ ich all die Leute, die ich auf die Reise mitgenommen hatte — mit Ausnahme der neuen Diener, die ich im Laufe der Reise aufgenommen hatte.

Da das Wetter sehr schön war, nahm ich ein Schiff, um zurück bis Alexandrien auf dem Nil zu reisen. Gewiß haben Sie alle schon von den großen Überschwemmungen des Nil gehört. Nun, am dritten Tag unserer Fahrt begann der Nil zu steigen, und am vierten Tag stand das ganze Land links und rechts viele Meilen weit unter Wasser. In der folgenden Nacht blieb das Schiff in etwas stecken, was

das Strauchwerk *brushwood*
halten für *consider to be*
die Mandel *almond (tree)*
umgeben *surround*

das Senkblei *sounding lead*
schweben *hover, float*
weder... noch *neither... nor*

einbrechen *come in*

versinken *sink*

sich retten *save oneself*
sich festhalten an *hold on to*
der Zweig *branch*

über... hinweg *over and past*
abtreiben *drift off*

empfangen *receive*
gnädig *graciously*
die Ehre *honor*
Hoheit *Highness*
hinführen *take*

ich für Strauchwerk hielt. Sobald es nächsten Morgen hell wurde, sahen wir, daß wir von Mandeln umgeben waren. Sie waren wunderbar reif und gut. Wir fanden durch das Senkblei, daß wir sechzig Fuß über dem Boden schwebten und weder vorwärts noch rückwärts konnten. Gegen acht 5 oder neun Uhr erhob sich plötzlich ein Wind, der unser Schiff ganz auf eine Seite legte. Wasser brach ein und das Schiff versank.

Wir alle, acht Männer und zwei Knaben, konnten uns retten. Wir hielten uns an den Zweigen der Mandelbäume 10 fest und blieben drei Tage lang in dieser Situation. Wir lebten die ganze Zeit von Mandeln. Endlich begann das Wasser zu fallen. Als wir am sechsundzwanzigsten Tag wieder auf fester Erde standen, erblickten wir zuerst unser Schiff. Es lag nicht weit von dem Platz, wo es gesunken 15 war. Wir nahmen die wichtigsten Dinge aus dem Schiff an uns und versuchten, unsere Straße zu finden. Ich sah aber, daß wir über hundertfünfzig Meilen, über Gärten und Felder hinweg, von unserem Weg abgetrieben waren. Nach sieben Tagen erreichten wir wieder den Nil und erzählten 20 unser Abenteuer einem Bey. Er half uns freundlich in allem, was wir brauchten, und wir konnten die Reise in einem seiner Schiffe auf dem Nil fortsetzen. In sechs Tagen kamen wir nach Alexandrien, und von da reisten wir nach Istanbul. Der Sultan empfing mich gnädig, und ich hatte 25 die Ehre, seinen Harem zu sehen, wo seine Hoheit mich selbst hinführte.

Beim Sultan

Nach dieser ägyptischen Reise stand ich in der höchsten Gunst des Sultans. Er bat mich jeden Tag, mittags
und abends mit ihm zu essen. Seine Hoheit konnte ohne
mich gar nicht leben. Ich muß sagen, daß der türkische
5 Kaiser von allen Fürsten der Welt die besten Speisen bie-
tet. Dies ist nur von den Speisen, nicht aber von den Ge-
tränken zu verstehen; denn Mohammeds Gesetz verbietet
seinen Anhängern den Wein, wie Sie wahrscheinlich wissen. Bei öffentlichen türkischen Essen bekommt man daher
10 überhaupt keinen Wein. Was aber öffentlich nicht geschieht, das geschieht doch oft heimlich. Viele Türken
wissen genau so gut wie der beste deutsche Prälat, wie ein
Glas guten Weines schmeckt. So war es auch bei Seiner
Türkischen Hoheit.

15 An der öffentlichen Mahlzeit des Sultans nahm gewöhnlich der Generalsuperintendent, der Mufti, teil. Hier
wurde keinen Augenblick des Weines gedacht, aber nach
dem öffentlichen Essen wartete immer eine gute Flasche
auf den Sultan in seinem Kabinett.

20 Einmal gab mir der Sultan ein heimliches Zeichen,
ihm in sein Kabinett zu folgen. Er schloß die Tür hinter
mir und nahm aus einem kleinen Schränkchen eine
Flasche.

„Münchhausen", sagte seine Hoheit, „ihr Christen
25 wißt, wie gut ein Glas Wein schmecken kann. Hier habe
ich noch eine kleine Flasche Tokaier — so gut habt ihr
einen Tokaier in eurem ganzen Leben noch nicht getrunken."

die Gunst *favor*

der Fürst *ruler*
die Speise *food*
bieten *offer*
das Getränk *drink*
ist zu verstehen *applies to*
das Gesetz *law*
verbieten *forbid*
der Anhänger *follower*
öffentlich *public*
überhaupt *at all*

heimlich *in secret*

der Prälat *prelate*

die Mahlzeit *meal*

teilnehmen *take part*

wurde gedacht *was (no) thought of*

das Kabinett *private room*
das Zeichen *sign*

schließen *close*

der Schrank *cupboard*

der Christ *Christian*

Tokaier *Tokay*

einschenken *fill*

Der Sultan schenkte zwei Gläser ein, und wir tranken.

„Nun, was sagt ihr?" fragte er mich. „Nicht wahr, das ist etwas Extrafeines?"

„Das Weinchen ist gut, Ihre Hoheit", antwortete ich, „aber ich muß doch sagen, daß ich schon einen besseren 5 Tokaier getrunken habe, und zwar in Wien beim verstorbe-

verstorben *late*

nen Kaiser Karl dem Sechsten. Den Wein sollten Ihre Hoheit einmal versuchen."

„Münchhausen, euer Wort in Ehren, aber es ist un-

in Ehren *with all respect to*

möglich, daß ein Tokaier besser ist als dieser hier. Ich 10 bekam ihn einmal von einem ungarischen Grafen. Der tat

ungarisch *Hungarian*
der Graf *count*
tun so, als *act as though*
selten *rare*
der Scherz *joke*

so, als wäre dieser Wein ganz ganz selten."

„Ein schlechter Scherz, Ihre Hoheit! Tokaier und Tokaier ist ein großer Unterschied. Wollen wir wetten? In

der Unterschied *difference*
wetten *bet*

einer Stunde gebe ich Ihnen eine Flasche ganz anderen 15 Tokaier, direkt aus dem kaiserlichen Keller in Wien."

kaiserlich *imperial*
der Keller *cellar*
faseln *talk drivel*

„Münchhausen, ich glaube, ihr faselt", sagte Seine Hoheit, der Sultan.

„Ich fasele nicht, Ihre Hoheit. Direkt aus dem kaiser- lichen Keller in Wien sollen Sie in einer Stunde eine 20 Flasche Tokaier haben, der ganz anders schmeckt als dieser saure, schlechte Wein hier."

„Münchhausen, Münchhausen, ihr wollt mich zum

zum Besten haben *make a fool of*
sich verbitten *not permit*
überaus *exceedingly*
wahrhaft *truthful*

Besten haben. Aber das verbitte ich mir. Ich kenne euch zwar als einen überaus wahrhaften Mann, aber jetzt glaube 25 ich fast, daß ihr lügt."

„Nun, Ihre Hoheit, wir stellen es auf die Probe. Halte

auf die Probe stellen *put to the test*
halte ich nicht *if I don't keep*
die Unwahrheit *untruth*
abschlagen *chop off*
allein *however*

ich nicht mein Wort — denn ich bin ein Feind aller Un- wahrheit — dann können Sie mir den Kopf abschlagen lassen. Allein, der Wert meines Kopfes ist nicht klein. Was 30

setzen *put up*
dagegen *in return*

setzen wir dagegen?"

„Gut", sagte der Sultan endlich, „ich nehme euch beim Wort. Ist um vier Uhr die Flasche Tokaier nicht hier, so kostet es euch euren Kopf; denn ich lasse mich nicht zum Besten haben, auch nicht von meinen Freunden. 35

die Schatzkammer *treasury*

Haltet ihr aber Wort, so könnt ihr aus meiner Schatzkam-

60   *Lügendichtung*

mer so viel Gold, Silber und Edelsteine nehmen als der stärkste Mann tragen kann."

„Das läßt sich hören!" antwortete ich. Dann bat ich um Feder und Tinte und schrieb an die Kaiserin Maria
5 Theresia in Wien folgenden Brief.

„Ihre Majestät haben als Erbin gewiß auch den Keller Ihres Vaters übernommen. Darf ich Eure Majestät bitten, dem Mann, der Eurer Majestät diesen Brief überbringt, eine Flasche von dem Tokaier geben zu lassen, den ich bei
10 Ihrem Vater oft getrunken habe. Es muß aber der Beste sein; denn es gilt eine Wette. Ich diene dafür gern wieder, wo ich kann... usw."

Diesen Brief gab ich sofort meinem Läufer, da es schon fünf Minuten nach drei war. Er mußte seine Ge-
15 wichte ablegen und sofort nach Wien eilen.

Dann tranken der Sultan und ich den Rest seiner Flasche in Erwartung des bessern ganz aus. Es schlug ein Viertel, es schlug halb, es schlug drei Viertel vier und noch war kein Läufer zu sehen. Ich gestehe, daß mir ein wenig
20 warm wurde. Es schien mir, als blickte der Sultan schon nach dem Glockenzieher, um dem Henker zu klingeln.

Noch durfte ich in den Garten hinausgehen, aber es folgten mir bereits einige Diener, die mich nicht aus den Augen ließen. In meiner Angst und als der Zeiger schon
25 auf fünfundfünfzig Minuten stand, schickte ich schnell nach meinem Horcher und nach meinem Schützen. Sie kamen sofort. Der Horcher mußte sich auf die Erde nie-derlegen, um zu hören, ob nicht mein Läufer endlich kä-me. Ich freute mich gar nicht, als er sagte, der Kerl liege
30 irgendwo weit von hier und schlafe; er höre ihn bis hierher schnarchen.

Als mein braver Schütze das hörte, lief er auf eine hohe Terrasse und rief: „Bei meiner armen Seele! Da liegt der Kerl unter einer Eiche bei Belgrad und die Flasche
35 neben ihm. Na warte! Ich will dich wecken!"

Der Schütze nahm sein Kuchenreutersches Gewehr

---

der Edelstein *precious stone*

das... hören *that sounds fine*
Feder und Tinte *pen and ink*

die Erbin *heiress*

überbringen *bring, deliver*

gelten *be a question of*
die Wette *wager*
usw. — und so weiter *and so forth*

ablegen *take off*
eilen *hurry*

die Erwartung *anticipation*
schlagen *strike*

gestehen *admit*

der Glockenzieher *bellpull*
der Henker *executioner*
klingeln *ring*
bereits *already*

der Zeiger *hand*

der Horcher *listener*

irgendwo *somewhere*

schnarchen *snore*

brav *fine*

die Seele *soul*

die Eiche *oak tree*

wecken *wake up*

die Ladung *charge*

die Eichel *acorn*
das Blatt *leaf*
fürchten *be afraid*

schmatzen *smack one's lips*

stehen *know one's way*

einschließen *lock up*

klingeln nach *ring for*
der Schatzmeister *treasurer*
der Silberton *silvery sound*
bezahlen *pay*

sich verbeugen *bow*
schütteln *shake*

und schoß die volle Ladung in den Baum. Ein Hagel von Eicheln, Zweigen und Blättern fiel auf den Läufer herab. Der fürchtete nun selbst, zu lange geschlafen zu haben und lief so schnell er konnte. Um drei Uhr neunundfünfzig Minuten und dreißig Sekunden war er mit der Flasche vor 5 dem Kabinett des Sultans. Das war eine Freude! Seine Hoheit trank und schmatzte.

„Münchhausen", sagte er, „ich hoffe, ihr versteht, wenn ich diese Flasche für mich allein behalte. Ihr steht in Wien besser als ich und werdet wissen, wie ihr mehr davon 10 bekommt."

Er schloß die Flasche in ein kleines Schränkchen ein und klingelte nach dem Schatzmeister. Welch ein feiner Silberton in meinen Ohren!

„Ich muß euch nun die Wette bezahlen", sagte der 15 Sultan, und als der Schatzmeister eintrat, erklärte er ihm: „Laßt meinen Freund Münchhausen so viel aus der Schatzkammer nehmen, als der stärkste Mann tragen kann." Der Schatzmeister verbeugte sich tief. Mir schüttelte der Sultan die Hand. Dann ließ er uns beide gehen. 20

Ich wartete nicht lange — das können Sie sich denken. Zuerst ließ ich meinen starken Diener mit seinem langen Strick kommen und ging mit ihm in die Schatzkammer.

Als er seinen Strick um alles geschlungen hatte und wieder
fortging, war nichts mehr übriggeblieben in der Schatzkammer.

    Ich eilte mit ihm zum Hafen und nahm das größte
5 Schiff, das zu bekommen war, in Beschlag. Ich ließ es mit
den Schätzen beladen und fuhr schnell ab, um meine Beute
in Sicherheit zu bringen.

    Was ich befürchtet hatte, geschah. Der Schatzmeister
hatte die Tür zur Schatzkammer offen gelassen — es war
10 ja nicht mehr notwendig, sie zu schließen — und war sofort zum Sultan gelaufen, um ihm alles zu erzählen.

    Seine Hoheit erschrak nicht wenig, als er die Ge-
schichte hörte. Er befahl seinem Großadmiral, mich mit
der ganzen Flotte zu verfolgen und mir klar zu machen,
15 daß wir so nicht gewettet hätten. Ich war noch keine zwei
Meilen vom Hafen entfernt, da sah ich schon die ganze
türkische Kriegsflotte mit vollen Segeln hinter mir herkommen. Ich muß gestehen, daß mein Kopf, der gerade
wieder fest geworden war, von neuem zu wackeln begann.

20   Jetzt aber war mein Windmacher bei der Hand und
sprach: „Haben Sie keine Angst, Exzellenz!"

    Er ging auf das Hinterdeck und stellte sich so, daß das

---

fortgehen *go away*
übrigbleiben *be left*

eilen *hurry*
der Hafen *harbor*
in Beschlag nehmen
  confiscate
der Schatz *treasure*
beladen *load*
die Beute *loot, booty*
die Sicherheit *safety*
befürchten *fear*

befehlen *order*

die Flotte *fleet*
verfolgen *pursue*
wetten *wager, bet*

die Kriegsflotte *navy*
das Segel *sail*
hinter... herkommen
  come after
wackeln *wobble*

das Hinterdeck *poop
deck*

---

richten auf *aim at*
blasen *blow*

die Armut *poverty*
die Bettelei *begging*
der Bettler *beggar*
verteilen an *divide*
  among

der Straßenräuber
  highwayman
abnehmen *take away*
kaum *hardly*

eine Nasenloch auf die türkische Flotte, das andre aber auf unsere Segel gerichtet war. Dann blies er so viel Wind, daß die Flotte in den Hafen zurückgetrieben wurde, unser Schiff aber schon nach wenigen Minuten in Italien war.

Von meinem Schatz blieb mir aber nicht viel; denn die Armut und Bettelei ist in Italien so groß, und ich bin eine so gute Seele, daß ich den größten Teil an Bettler verteilte. Der Rest wurde mir auf meiner Reise nach Rom von Straßenräubern abgenommen. So verlor ich den Schatz, kaum daß ich ihn gewonnen hatte!

Die Belagerung von Gibraltar

die Belagerung *siege*

Während der letzten Belagerung von Gibraltar fuhr ich auf dem Schiff einer Flotte unter Lord Rodneys Kommando nach dieser Festung. Ich wollte meinen alten Freund General Elliot besuchen, der durch die Verteidi-
5 gung von Gibraltar eben sehr bekannt geworden war.

die Festung *fortress*
besuchen *visit*
die Verteidigung *defense*
eben *just*
bekannt *well-known*
das Wiedersehen *reunion*
vorüber *over*
umhergehen *walk around*

Als die erste Freude des Wiedersehens vorüber war, ging ich mit dem General in der Festung umher. Er zeigte mir die eigene Besatzung und auch die Linien des Feindes.

eigen *own*
die Besatzung *garrison*
die Linie *line*

Ich hatte ein herrliches Teleskop bei mir, mit dessen
10 Hilfe ich herausfand, daß der Feind eben eine Kanone mit einer Kugel lud, die sechsunddreißig Pfund schwer war. Man wollte gerade auf den Platz schießen, wo wir standen. Als ich es dem General sagte, blickte er durch mein Teleskop und fand, daß ich recht hatte.

das Pfund *pound*
laden *load*

15 Mit seiner Erlaubnis ließ ich sofort eine Kanone mit einer noch schwereren Kugel laden — sie war achtundvierzig Pfund schwer — und richtete die Kanone. Ich will mich nicht rühmen, aber was Artillerie betrifft, habe ich meinen Meister noch nicht gefunden. Als ich sah, daß die Feinde
20 Feuer gaben, ließ ich auch unsere Kanone abfeuern. Die beiden Kugeln trafen sich in der Mitte des Weges. Zunächst prallte die Kugel der Feinde zurück, flog wieder zu der Kanone, wo sie abgefeuert war und streckte den Kanonier und sechzehn weitere Mann zu Boden, die ihr auf
25 ihrem Flug nach der afrikanischen Küste im Wege standen. Auf dem Wege dahin fuhr sie durch die Maste von drei Schiffen, die in einer Linie hintereinander im Hafen lagen. Sie flog dann noch zweihundert englische Meilen weit.

die Erlaubnis *permission*

richten *aim*

rühmen *praise*
was... betrifft *in regard to*
der Meister *master, equal*

sich treffen *meet*

zurückprallen *rebound*

der Kanonier *gunner*

zu Boden strecken *knock over*
der Flug *flight*
die Küste *coast*

hintereinander *in back of one another*

Unsere eigene Kugel trieb nicht nur die der Feinde so weit zurück; sie flog weiter ihren Weg und traf die spanische Kanone. Die Kugel warf die Kanone so heftig zurück, daß sie ein Schiff durchschlug und zum Sinken brachte.

Dies war gewiß eine außerordentliche Tat. General Elliot wollte mich dafür zum Offizier machen, aber ich lehnte ab. Ich wollte die Festung aber nicht verlassen, da ich noch etwas mehr helfen wollte. Darum schlich ich mich heimlich in der Nacht in das Lager der Feinde. Ich hatte das Glück, daß alle schliefen. Sogleich begann ich zu arbeiten und warf dreihundert Kanonen drei Meilen weit in das Meer hinaus. Dann trug ich alle Wagen zu einem Haufen zusammen und entzündete ein schönes Feuer. Das ganze Lager der Feinde geriet in Angst. Sie glaubten, sieben oder acht Regimenter aus der Festung müßten die Kanonen und Wagen zerstört haben.

Herr Drinkwater, ein Professor der Geschichte, spricht in seinem Buch über die berühmte Belagerung von einem großen Feuer im Lager der Spanier, und daß es viel zerstört hat. Er nennt aber nicht den Grund des Feuers.

heftig *violently*
durchschlagen *penetrate*

ablehnen *refuse*
sich schleichen *sneak*
das Lager *camp*
sogleich *immediately*

der Haufen *heap, pile*
entzünden *light*
in Angst geraten *become alarmed*

zerstören *destroy*

Das konnte er auch nicht, denn ich habe diese Geschichte noch niemandem erzählt, auch nicht dem General Elliot. Die Feinde liefen in ihrer Angst davon und liefen vierzehn Tage lang, ohne anzuhalten. Erst später kehrten sie wieder
5 zurück.

Zwei Monate nachher saß ich mit General Elliot beim Frühstück. Da flog eine Bombe der Feinde in das Zimmer und fiel auf den Tisch. Der General verließ sogleich den Raum. Ich aber nahm die Bombe, bevor sie explodierte,
10 und trug sie auf die Spitze des Felsens von Gibraltar. Von hier aus sah ich auf einem Hügel vor dem Lager der Feinde viele Leute stehen. Ich nahm mein Teleskop in die Hand und fand heraus, daß man zwei von unseren Offizieren hängen wollte; sie hatten sich am Abend als Spione in das
15 Lager der Feinde geschlichen. Da der Hügel zu weit entfernt war, konnte ich die Bombe nicht mit der Hand dahin werfen. Da erinnerte ich mich an etwas; in der Tasche hatte ich die Schleuder, mit der David den Riesen Goliath getötet hatte. Ich legte daher die Bombe in die Schleuder
20 und schoß sie mitten in den Kreis der Leute. Als sie niederfiel, tötete sie alle außer unseren beiden Offizieren. Die zwei hatte man eben in die Höhe gezogen. Ein Stück der Bombe traf aber den Fuß des Galgens, wodurch er umfiel.

Als unsere beiden Freunde wieder festen Boden unter
25 ihren Füßen fühlten, blickten sie sich um, sahen die Toten liegen und befreiten sich von ihren Seilen. Sie liefen an das Ufer, sprangen in ein spanisches Boot und ruderten zu einem unserer Schiffe. Wenige Minuten später, als ich die Geschichte eben General Elliot erzählte, kamen die beiden
30 Offiziere an und feierten diesen sonderbaren Tag auf die froheste Art der Welt.

davon *away*
anhalten *stop*

nachher *afterwards*

explodieren *explode*
die Spitze *top*
der Fels *cliff*

der Spion *spy*
weit entfernt *far away*

die Schleuder *sling*
der Riese *giant*

außer *except*
in die Höhe *up, aloft*

umfallen *fall over*

sich befreien *free oneself*
das Seil *rope*
das Ufer *shore*
rudern *row*

ankommen *arrive*

feiern *celebrate*

froh *happy*
die Art *way*

Die Schleuder Davids

wünschen *wish*

der Besitz *possession*

abstammen *be descended from*
die Witwe *widow*
eng *close*
die Verbindung *association*
das Gefühl *feeling*

der Punkt *point*
streiten *quarrel*
die Arche *ark*
bauen *build*
der Vorfahr *ancestor*

die Gräfin *countess*

die Gesellschaft *society*

die Schwäche *weakness*

der Widerspruch *contradiction*
ertragen *bear*
das Geschlecht *sex*
kurz *in short*
die Trennung *separation*

zum Andenken *as a souvenir*
die Grenze *border*

die Leibgarde *bodyguard*

besonders *especially*
der Eifer *eagerness*
voraus *ahead*
sich bedienen *make use of*

der Vorfall *incident*
melden *report*

Sie wünschen wohl alle zu hören, wie ich in den Besitz der berühmten Schleuder Davids gekommen bin. Ich sehe es an Ihren Augen. Gerne erzähle ich Ihnen die Geschichte.

Sie müssen wissen, daß ich von der Frau des Urias ab- 5 stamme. Nun hat aber David, als sie Witwe war, in enger Verbindung mit ihr gelebt. Mit der Zeit wurden die Gefühle des Königs David gegen sie aber kälter, und einmal an einem schönen Sommermorgen begannen sie beide über einen wichtigen Punkt zu streiten. Die Frage war: An 10 welchem Platz hatte Noah die Arche gebaut, und wo war sie gelandet! Mein Vorfahr, König David, glaubte, ein großer Archäologe zu sein, und die Gräfin war die Präsidentin in einer historischen Gesellschaft. Er hatte die Schwäche mehrerer großer Herren und fast aller kleinen 15 Leute: er konnte keinen Widerspruch ertragen. Sie aber hatte die Schwäche ihres Geschlechts: sie wollte in allen Dingen recht haben. Kurz, es kam zur Trennung.

Sie hatte ihn oft von seiner Schleuder sprechen hören. Weil er immer gesagt hatte, sie sei ein großer Schatz, wollte 20 sie die Schleuder zum Andenken mitnehmen. Bevor sie aber die Grenze erreicht hatte, wurde die Schleuder vermißt. Sechs Mann der Leibgarde des Königs verfolgten sie.

Einer der Männer, der besonders großen Eifer zeigte, war den andern etwas voraus. Sie bediente sich der Schleu- 25 der aber so gut, daß sie ihn an derselben Stelle traf wie David den Goliath. Als seine Freunde ihn tot fallen sahen, hielten sie es für das Beste, den Vorfall dem König zu mel-

den und zunächst umzukehren. Die Gräfin hielt es dagegen für das Beste, so schnell wie möglich über die Grenze nach Ägypten zu kommen; denn dort hatte sie am Hof mächtige Freunde. Von ihr erbte die Schleuder ein Sohn, von dem
5 sie in meist gerader Linie endlich auf mich kam.

Einer der Besitzer dieser Schleuder, mein Ururgroßvater, lebte vor zweihundertfünfzig Jahren. Bei einem Besuch in England wurde er mit einem Dichter bekannt, der zwar kein Plagiator in der Literatur, aber ein großer Wild
10 dieb in den Wäldern des Sir Thomas Lucy war. Er hieß Shakespeare. Vielleicht zur Vergeltung wildern heute viele englische und deutsche Autoren in seinen Werken. Als mein Ururgroßvater Shakespeare die Schleuder borgte, tötete er damit viel Wild in den Wäldern vor Sir Thomas
15 Lucy. Der arme Shakespeare wurde darum ins Gefängnis geworfen, aber mein Ururgroßvater befreite ihn auf sonderbare Art.

Damals regierte die Königin Elisabeth in England. Wie Sie vielleicht wissen, war die Königin in ihren letzten
20 Jahren ihrer selbst überdrüssig. Die tägliche Routine mit Ankleiden und Auskleiden, Essen und Trinken und so weiter machte ihr das Leben zur unerträglichen Last. Mein Vorfahr befreite sie durch magische Kunst von diesen Dingen, so daß sie alles ohne oder durch einen Stell
25 vertreter tun konnte. Und was meinen Sie, das er sich für dieses Meisterstück magischer Kunst von der Königin wünschte? — Shakespeares Freiheit! Er hatte den großen Dichter liebgewonnen, daß er ihm gern ein paar seiner Tage abgegeben hätte, um Shakespeares Leben zu ver
30 längern.

Um aber zu meinen eigenen Erlebnissen zurückzukehren: ich möchte Ihnen noch einige meiner Seeabenteuer erzählen.

umkehren *turn back*
dagegen *on the other hand*

der Hof *court*
mächtig *powerful*
erben *inherit*

meist *largely*
gerade *straight*
der Besitzer *owner*
der Ururgroßvater *great-great-grandfather*

der Dichter *poet*
bekannt *acquainted*
der Plagiator *plagiarist*
der Wilddieb *poacher*

zur Vergeltung *as reprisal*
wildern *poach*

borgen *lend*

das Wild *game*

ins Gefängnis werfen *put in prison*

damals *at that time*

überdrüssig *bored with*

Ankleiden und Auskleiden *dressing and undressing*
unerträglich *unbearable*
die Last *burden*
magisch *magic*

der Stellvertreter *deputy*

das Meisterstück *masterpiece*
die Freiheit *freedom*

liebgewinnen *become fond of*
abgeben *hand over*
verlängern *prolong*

Die Reise nach Ostindien

Von England aus machte ich eine Seereise mit Kapitän Hamilton nach Ostindien. Ich hatte einen Jagdhund bei mir, der Goldes wert war; denn er betrog mich nie.

Eines Tages, als wir noch etwa dreihundert Meilen vom Land entfernt waren, nahm mein Hund eine Stellung ein, als wittere er Wild. Fast eine volle Stunde lang sah ich den Hund erstaunt an und sagte dann dem Kapitän und allen Offizieren, daß wir dem Land nahe sein müßten; denn mein Hund wittere Wild. Der Kapitän und alle Offiziere lachten, aber ich ließ mich in der guten Meinung von meinem Hund nicht irremachen.

Nach vielem Streiten für und gegen die Sache und nach einer langen Diskussion erklärte ich, daß ich an die Nase meines Hundes mehr glaube als an die Augen aller Offiziere an Bord. Ich schlug dem Kapitän vor, mit mir zu wetten. Ich wollte hundert Guineen setzen, daß wir in einer halben Stunde Wild finden würden.

Der Kapitän begann wieder zu lachen und rief den Schiffsarzt, mir den Puls zu fühlen. Er tat es und erklärte, ich sei ganz gesund.

„Er ist nicht recht bei Sinnen", sagte der Kapitän, „ich kann mit dem Mann nicht wetten."

„Meine Meinung ist eine andere", sagte der Arzt. „Er ist gesund, glaubt aber mehr an die Nase seines Hundes als an den Verstand der Offiziere. Verlieren wird er auf alle Fälle; aber er verdient es auch."

„Ich kann nicht wetten, daß hier Wild in der Nähe ist; denn ich weiß doch genau, daß es nicht möglich ist.

wert *worth*
betrügen *deceive*

entfernt *far from*
einnehmen *assume*
wittern *scent*

die Meinung *opinion*

sich irremachen lassen
let doubts arise
das Streiten *argument*

vorschlagen *suggest*

setzen *bet*

nicht recht bei Sinnen sein
be out of one's mind

der Verstand *common
sense*
auf alle Fälle *in any case*
verdienen *deserve*
die Nähe *vicinity*

Es wird aber desto schöner für mich sein, ihm die verlorene Summe nachher wieder zurückzugeben."

Während dieser Diskussion blieb mein Hund in seiner
Stellung. Da ich meiner Sache sicher war, schlug ich zum
5 zweiten Mal vor zu wetten; dieses Mal nahm der Kapitän
an. Ich sagte, es sei Wild in der Nähe; er sagte, das sei unmöglich.

Wir hatten eben gewettet, als einige Matrosen einen
außerordentlich großen Hai fingen. Die Matrosen hatten
10 in einem langen Boot gefischt, das unser Schiff hinter sich
her zog. Als der Hai an Bord gebracht und aufgeschnitten
wurde, fanden wir sechs Paar Rebhühner lebend in seinem
Magen. Die armen Vögel waren schon so lange in dieser
Lage, daß eine von den Hennen auf fünf Eiern saß, die sie
15 gelegt hatte. Ein junges Tier durchbrach gerade die Schale,
als wir den Fisch aufschnitten.

Unter den Rebhühnern waren noch mehr Hennen,
die alle Junge bekamen, so daß wir immer frisches Wild
hatten. Ich erhielt vom Kapitän die hundert Guineen, um
20 die wir gewettet hatten. Und mein Hund erhielt immer die
Knochen von den Rebhühnern und einige Male auch einen
ganzen Vogel für seine Tüchtigkeit.

desto   *all the*
die Summe   *sum*

einer Sache sicher sein
   be certain (of a thing)

der Hai   *shark*
hinter... her   *in back of*
aufschneiden   *cut open*

der Magen   *stomach*
die Lage   *situation*
das Ei   *egg*
die Schale   *shell*

Junge   *young ones*

der Knochen   *bone*
die Tüchtigkeit   *efficiency*

Die Reise auf den Mond

wiederholen *get back*

sich einbilden *imagine*

begleiten *accompany*

Von der kleinen Reise, die ich nach dem Monde machte, um meine silberne Axt wiederzuholen, habe ich Ihnen schon erzählt.

Ich machte mehrere Male eine Reise auf den Mond. Da ich einmal aber lange Zeit dort blieb, kann ich auch 5 über die Menschen und das Leben dort vieles erzählen.

Ein Verwandter von mir hatte sich eingebildet, es existiere wirklich ein Volk von der Größe, wie es Gulliver im Königreich Brobdingnag gefunden hat. Er wollte eine Reise machen, um dieses Volk zu finden und bat mich, 10 ihn zu begleiten. Ich habe zwar die Geschichte Gullivers

immer für ein Märchen gehalten, aber da mein Verwandter mich zum Erben eingesetzt hatte, wollte ich seine Bitte nicht abschlagen.

Wir reisten zu Schiff und kamen erst in die Südsee.
5 Wir fanden nichts Besonderes dort. Achtzehn Tage nachdem wir an der Insel Tahiti vorbeigekommen waren, erhob sich ein starker Sturm. Er trug uns weit über das Meer empor und trieb uns einige Zeit in dieser Höhe dahin. Dann füllte ein neuer Wind unsere Segel, und es ging noch
10 schneller; sechs Wochen fuhren wir so.

Endlich sahen wir ein großes Land, das rund und licht war. Wir liefen in einem schönen Hafen ein, gingen ans Ufer und fanden es bewohnt. Unter uns sahen wir aber eine andere Erde mit Städten, Bäumen, Bergen und Flüs-
15 sen. Das war die Welt, die wir verlassen hatten.

Wir waren auf dem Mond gelandet. Alles ist sehr groß hier. Eine gewöhnliche Fliege ist so groß wie bei uns ein Schaf, die Bewohner des Mondes sind sechsunddreißig Fuß groß.
20 Auf dem Mond sind die Freuden der Liebe unbekannt; denn alles wächst dort auf Bäumen. Die Bäume, auf denen die Menschen des Mondes wachsen, haben große Äste und fleischfarbene Blätter. Ihre Frucht besteht aus Nüssen. Daß die Nüsse reif sind, sieht man am Wech-
25 sel der Farbe. Sobald sie reif sind, werden sie gepflückt und so lange aufgehoben, als man es für gut befindet. Will man den Kern dieser Nüsse lebendig haben, so wirft man sie in einen großen Kessel mit kochendem Wasser. In wenigen Stunden öffnen sich dann die Schalen, und der
30 Mondmensch springt heraus.

Der Geist dieser Geschöpfe ist immer schon fertig ausgebildet. Aus einer Schale kommt ein Soldat, aus einer anderen ein Philosoph, aus einer dritten ein Theologe, aus einer vierten ein Jurist, aus einer fünften ein Bauer und so
35 weiter. Jeder beginnt sofort, seinen Beruf auszuüben und sich zu vervollkommnen.

---

das Märchen *fairy tale*
zum Erben einsetzen *declare as one's heir*
abschlagen *refuse*

vorbeikommen *pass*

dahintreiben *propel*

einlaufen *enter*
der Hafen *harbor*
das Ufer *shore*

gewöhnlich *ordinary*
die Fliege *fly*
der Bewohner *inhabitant*

der Ast *branch*
fleischfarben *flesh-colored*
das Blatt *leaf*
bestehen aus *consist of*
reif *ripe*
der Wechsel *change*
pflücken *pick*
aufheben *keep*
der Kern *kernel*
der Kessel *kettle*
kochend *boiling*

der Geist *mind*
das Geschöpf *creature*
fertig ausgebildet *fully developed*
der Philosoph *philosopher*
der Theologe *theologist*
einen Beruf ausüben *practice a profession*
sich vervollkommnen *perfect oneself*

An der Schale schon vorher zu sehen, was in ihr
steckt, ist sehr schwer. Ein lunarischer Theologe machte
viel Lärm, als ich auf dem Mond war. Er erklärte, er sei
im Besitz des Geheimnisses. Man achtete aber wenig auf
ihn und hielt ihn allgemein für krank.   5

der Besitz *possession*
das Geheimnis *secret*
achten auf *pay*
  attention to
allgemein *generally*

Ihren Kopf tragen die Mondmenschen unter dem
Arm. Wenn sie aber eine Reise machen oder eine Arbeit
ausführen, bei der sie sich viel bewegen müssen, so lassen
sie ihn allgemein zu Hause. Sie können ihren Kopf auch
um Rat fragen, wenn sie weit von ihm entfernt sind. Um-   10
gekehrt bleiben die Politiker zu Hause, wenn sie wissen
wollen, was das Volk denkt. Sie schicken dann nur ihren
Kopf aus, der überall anwesend sein kann. Wenn sein
Herr es will, kehrt der Kopf allein wieder zurück.

ausführen *perform*
sich bewegen *move*

um Rat *for advice*
umgekehrt *on the other*
  hand
der Politiker *politician*

anwesend *present*

Die kleinen runden Kerne der Weintrauben sehen auf   15
dem Mond genau so aus wie unser Hagel. Ich bin ganz
sicher, die Mond-Traubenkerne fallen im Sturm auf die
Erde hinunter und bilden den Hagel. Ich glaube auch, daß
diese Beobachtung manchem Weinhändler auf der Erde
schon lange bekannt ist; denn ich habe schon oft Wein be- 20
kommen, der aus Hagelkörnern gemacht zu sein schien.

der Kern *seed*
die Weintraube *grape*
der Hagel *hail*

die Beobachtung
  observation
der Händler *dealer*

das Hagelkorn *hailstone*

Sonderbar sind auch die Augen der Menschen auf
dem Mond. Da sie die Augen herausnehmen können, verlieren sie mitunter ihre Augen und müssen sich neue
borgen oder kaufen. Man trifft darum überall auf dem   25
Mond Leute, die Augen verkaufen. In diesem Punkt haben
die Mondbewohner ihre Eigenheiten; denn ein Mal sind
grüne Augen Mode, ein anderes Mal gelbe.

borgen *borrow*

die Eigenheit *peculiarity*

Mode sein *be fashionable*
gelb *yellow*

Es ist wahr: diese Dinge sind sonderbar zu hören.
Aber jeder, der es nicht glaubt, kann selbst auf den Mond   30
fliegen, und er wird sehen, daß ich die Wahrheit sage, wie
es nur wenige Reisende tun.

Die Reise durch die Welt

Ich möchte Ihnen noch eine Geschichte erzählen, die sonderbarer ist als jenes Abenteuer auf dem Mond.

Da ich ein Buch über Sizilien gelesen hatte, bekam ich Lust, den Berg Ätna, den größten tätigen Vulkan Europas zu besteigen.

Ich reiste ab und kam nach wenigen Wochen nach Sizilien. Eines Morgens machte ich mich auf den Weg und war nach drei Stunden auf der Spitze des Berges. Der Vulkan tobte gerade und hatte schon drei Wochen getobt; Feuer, Lava und Rauchwolken sahen schrecklich aus. Aber ich war entschlossen, das Geheimnis dieses Berges zu entdecken, und sollte es mich mein Leben kosten. Nachdem ich dreimal um den Krater herumgegangen war, sah ich, daß ich dadurch nicht klüger wurde und sprang hinein. Kaum hatte ich das getan, so befand ich mich in einem verzweifelt warmen Schwitzkasten. Dauernd wurde ich von rotglühenden Kohlen getroffen, die von unten heraufflogen.

In kurzer Zeit sank ich durch die Schwere meines Körpers auf den Grund des Vulkans, wo ich ein lautes Lärmen, Schreien und Fluchen hörte. Ich öffnete die Augen und siehe da: ich war in Gesellschaft des alten Feuergottes Vulkan und seiner Zyklopen. Ich hatte alle Berichte über diese Herren immer für Lügen gehalten, aber nun standen sie lebendig vor mir. Sie hatten sich seit drei Wochen über Ordnung und Gehorchen gestritten, und dadurch war es zum Ausbruch des Berges Ätna gekommen. Meine Erscheinung stellte auf einmal unter der ganzen Gesellschaft Friede und Ordnung her.

Lust bekommen be in a mood to
tätig active
der Vulkan volcano
besteigen scale

sich auf den Weg machen set out
die Spitze top

toben go wild

entschlossen determined

klüger werden find out anything
sich befinden be

der Schwitzkasten sweatbox
dauernd constantly
rotglühend red glowing
die Schwere gravity

der Grund bottom

das Lärmen uproar
das Fluchen cursing

die Zyklopen (pl.) Cyclopes

die Ordnung order
das Gehorchen obedience
der Ausbruch eruption
die Erscheinung appearance
herstellen produce
der Friede peace

hinken *limp*

der Schrank *cabinet*
das Pflaster *plaster*
die Salbe *salve*
auflegen *put on*

sich erholen *recover*
vorstellen *introduce*
die Gemahlin *wife*

weich *soft*

der Zauber *magic*

das Wesen *being*

der Gedanke *thought*

schwindeln *feel dizzy*

der Geselle *companion*
der Schwätzer *gossip*
der Floh *flea*
die Eifersucht *jealousy*
der Wink *hint*

Gesellschaft leisten *keep company*

der Brunnen *well*

undankbar *ungrateful*
sterblich *mortal*

sich verteidigen *defend oneself*

das Bewußtsein *consciousness*

erleuchten *illuminate*

überhaupt *at all*

Der Feuergott Vulkan hinkte sogleich nach seinem Schrank hin und brachte Pflaster und Salben, die er mir mit eigener Hand auflegte. In wenigen Minuten war ich wieder gesund. Als er mir etwas zu trinken gab, schmeckte ich zum ersten Mal in meinem Leben den herrlichen Nektar, den sonst nur Götter und Göttinnen trinken.

Sobald ich mich etwas erholt hatte, stellte er mich seiner Gemahlin, der Göttin Venus, vor. Sie führte mich in ein schönes Zimmer und setzte mich auf ein weiches Sofa. Wenn ich an den göttlichen Zauber ihres ganzen Wesens denke, finde ich keine Worte, um auszudrücken, was ich gefühlt habe. Schon der Gedanke an alles macht mich schwindeln.

Vulkan erklärte mir den Berg Ätna, was mir sehr gefiel, aber die Gesellschaft der Göttin gefiel mir noch mehr. Venus war eine so herrliche Frau, daß ich den Palast Vulkans vielleicht nie mehr verlassen hätte. Doch unter seinen Gesellen waren Schwätzer, die ihm einen Floh ins Ohr setzten und die seine Eifersucht erweckten.

Ohne mir vorher nur den kleinsten Wink zu geben, nahm er mich eines Morgens, als ich eben der Göttin Gesellschaft leisten wollte, trug mich in ein Zimmer, das ich noch nie gesehen hatte und hielt mich über einen tiefen Brunnen.

„Undankbarer Sterblicher", sagte er, „kehre zurück in die Welt, aus der du gekommen bist."

Ohne mir eine Sekunde zu geben, um mich zu verteidigen, ließ er mich in den Brunnen hinunterfallen. Ich fiel und fiel immer schneller, bis meine Angst so groß wurde, daß ich das Bewußtsein verlor.

Plötzlich erwachte ich, als ich in ein großes Meer fiel, das von der Sonne hell erleuchtet wurde. Da ich schon immer sehr gut schwimmen konnte, war ich sogleich wie zu Hause. Als ich nach allen Seiten sah, war überhaupt nichts als Wasser zu sehen. Auch war es sehr kalt — also ein ganz anderes Klima als in der Nähe von Vulkans Feuer.

Endlich, kurz bevor es Nacht wurde, sah ich ein Schiff, das auf mich zufuhr. Sobald es nahe genug war, rief ich, und man antwortete mir in holländischer Sprache; ich schwamm zu dem Schiff und war gerettet.

Sogleich fragte ich: „Wo sind wir hier?"

„Im Südmeer", sagte man mir.

Diese Antwort erklärte mir alles; denn ich wußte nun, daß ich vom Berg Ätna durch den Mittelpunkt der Erde in die Südsee gefallen war. Da ich der erste Mensch war, der diesen Weg gesehen hatte, tat es mir leid, daß ich nicht besser auf alles geachtet hatte.

Ich ließ mir zu essen und trinken geben und ging zu Bett. Die Holländer sind sonderbare Leute. Als ich den Offizieren meine Geschichte erzählte, so einfach und wahr wie ich sie Ihnen erzählt habe, machten einige der Offiziere und besonders der Kapitän ein Gesicht, als glaubten sie mir nicht. Da sie mich aber freundlich auf ihrem Schiff aufgenommen hatten, mußte ich von ihrer Gnade leben und wohl oder übel den Schimpf in die Tasche stecken.

Als ich sie fragte, wohin die Reise ginge, antworteten sie, daß sie neue Entdeckungen machen wollten und dem Weg folgten, den Kapitän Cook gemacht hatte. Da aber während eines Sturmes nicht nur unsere Segel, sondern auch unser Kompaß zerstört wurde, kam alles anders.

Eines Tages bemerkten wir zum Beispiel, daß das Wasser des Meeres nicht grün war, sondern weiß. Da wir in der Nähe einer Insel waren, fuhren wir in den Hafen, der nicht mit Wasser, sondern mit Milch gefüllt war. Ein anderes Mal bemerkten wir, daß das Wasser des Meeres ganz schwarz war. Wir tranken davon und fanden, daß es nicht Wasser, sondern Wein war. Nun mußten wir darauf achten, daß nicht unsere Matrosen zu viel davon tranken. Die ganze Freude dauerte aber nicht lange; denn wenige Stunden später waren wir von vielen Walfischen und anderen großen Tieren umgeben, unter denen eines so groß war, daß wir nicht mit einem Fernrohr dessen Ende sehen konn-

auf... zu *toward*

das Südmeer *South Seas*

achten auf *pay attention to*

das Gesicht *face*

die Gnade *goodwill*
wohl oder übel *come what may*
den... stecken *swallow the insult*

zerstören *destroy*
anders kommen *turn out differently*
bemerken *notice*

achten auf *see to it*
der Matrose *sailor*
die ganze Freude *all that fun*
dauern *last*
der Walfisch *whale*
umgeben *surround*

das Fernrohr *telescope*

ten. Leider sahen wir das Ungeheuer erst, als wir schon sehr nahe waren. Auf einmal zog es unser Schiff mit stehenden Masten und vollen Segeln in sein Maul.

Als das Ungeheuer nach einiger Zeit das Maul öffnete und trank, schluckte es so große Mengen Wasser, daß es unser ganzes Schiff in den Magen hinunterschwemmte. Hier fanden wir Anker, Boote und auch viele große Schiffe.

Für uns gab es keine Sonne, keinen Mond und keine Sterne mehr; alles, was wir taten, mußte beim Licht von Fackeln geschehen. Als wir am zweiten Tag mit dem Kapitän und einigen Offizieren das Schiff verließen, trafen wir zehntausend Menschen aller Nationen. Sie wollten gerade Rat halten, wie sie die Freiheit wieder gewinnen könnten. Da ich zum Präsidenten gewählt wurde, schlug ich vor: Wenn das Ungeheuer wieder sein Maul öffnete, sollten wir zwei Mastbäume in seinem Maul aufstellen, um das Schließen zu verhindern. Mein Vorschlag wurde angenommen, und es wurden hundert starke Männer ausgesucht, die den Plan verwirklichen sollten.

Kaum hatten die hundert Männer die zwei Mastbäume zurechtgemacht, als das Ungeheuer gähnen mußte. Sogleich stellten die Männer die Mastbäume auf, wir machten unsere Schiffe flott und fuhren durch das Maul des Ungeheuers in das offene Meer und ins Licht des Tages hinaus. Wir waren eine Flotte von fünfunddreißig Schiffen aller Nationen.

Als ich wieder an Land war, reiste ich nach Hause.

Wenn Sie mich wieder besuchen sollten, wird es Ihnen an Unterhaltung gewiß nicht fehlen. Für heute empfehle ich mich und wünsche Ihnen angenehme Ruhe.

---

das Ungeheuer *monster*

das Maul *mouth*

schlucken *swallow*
die Menge *quantity*
hinunterschwemmen *wash down*

die Fackel *torch*
geschehen *take place*

Rat halten *have a conference*
wählen zu *elect*

der Mastbaum *mast*
aufstellen *set up*
verhindern *prevent*

aussuchen *select*

verwirklichen *carry out*

zurechtmachen *get ready*
gähnen *yawn*

flottmachen *refloat*

die Flotte *fleet*

die Unterhaltung *entertainment*
fehlen an *be (a) lack of*
sich empfehlen *say good-bye*
angenehme Ruhe wünschen *wish... a good night*

III

*Münchhausen vom 18. bis
zum 20. Jahrhundert*

Münchhausen vom 18. bis zum 20. Jahrhundert

Seit fast zwei Jahrhunderten ist Münchhausen die Hauptfigur in den wichtigsten deutschen Lügendichtungen. Mitunter änderte er sich ein wenig, doch ist es immer wieder Münchhausen, die Figur des freien, schweifenden Abenteurers, hinter dessen Lügen oft eine tiefere Wahrheit sichtbar wird als hinter den Wahrheiten anderer.

Der Erfolg des Münchhausen-Buches von Bürger rief in der deutschen Literatur viele Nachahmungen und Fortsetzungen hervor. Der Baron aus Bodenwerder war so populär, daß viele Autoren ihre Helden Münchhausen nannten, um Erfolg zu haben. Es gab „neue Münchhausen", „junge", „zweite" und „neu auferstandene" Münchhausen. Die Bücher wurden immer dicker; die Münchhausen-Geschichten von H. Th. L. Schnorr, einem sonst unbekannten Schriftsteller, umfassen drei Bände (1794–1800). Die Abenteuer wurden immer phantastischer; ein sonst ebenso unbekannter Schriftsteller, G. E. Rebmann, macht seinen „jüngeren Herrn von Münchhausen" (1795) zum Bürgermeister von Schilda. Das ist soviel wie Bürgermeister von Lalenburg.

Die erste bedeutende Münchhausen-Dichtung nach dem Buch Bürgers ist der umfangreiche Roman von Karl Immermann (1796–1840), „Münchhausen, eine Geschichte in Arabesken" (1838). Münchhausen hat hier nicht nur eine, sondern mehrere Wandlungen durchgemacht. Zuerst eine Wandlung in den Augen des Autors selbst! Karl Immermann schrieb einmal an seine Braut über diesen, seinen Münchhausen: „Er sollte erst ein reiner Spaßmacher wer-

---

sich ändern *change*

schweifen *roam*

sichtbar *visible*

der Erfolg *success*
hervorrufen *call forth*
die Nachahmung
  imitation
die Fortsetzung
  continuation

auferstanden *resurrected*

umfassen *comprise*

der Bürgermeister
  mayor

umfangreich *voluminous*

die Arabeske *arabesque*
die Wandlung
  transformation
durchmachen *go through*

die Braut *fiancée*

der Spaßmacher *joker*

den und kommt jetzt gegen das Ende ganz tragisch zu stehen."

Das Tragische ist ein Zug, der auch bei Bürger schon zu ahnen ist. Doch der Münchhausen Immermanns ist ein ganz anderer als der Bürgers. Der alte Lügenbaron ist ein Jäger, Reiter, Soldat und Abenteurer; der neue ist ein „halber Doktor", ein halber Gelehrter. Er weiß sein großes Wissen interessant und geschickt zu erzählen. Beim alten Münchhausen kommt es auf die bunten Abenteuer der äußeren Welt an, auf die erlogenen Taten, auf die Handlung der Geschichten. Bei Immermann kommt es nicht darauf an, *was* er lügt, sondern *warum* er lügt. Die Tendenz des neunzehnten Jahrhunderts zur Psychologisierung wird deutlich. Die Person Münchhausens, seine Seele, sein Charakter sind wichtiger als seine Abenteuer. Trotz seiner Lügengeschichten war der alte Münchhausen eine recht positive Figur; der von Immermann ist eine mehr negative Figur. Der alte Lügenbaron lachte über die Übelstände seiner Zeit und zog sie ins Lächerliche. Immermanns Figur ist ein symbolisches Abbild der Übelstände seiner Epoche; er verkörpert den Schwindelgeist seiner Zeit. Der Roman ist eine Negation des materialistischen und lügenhaften Zeitgeistes. Er enthält scharfe sozial-politische Satire auf den verkommenen Adel, der auf dem Schloß Schnick-Schnack-Schnurr lebt und über den man Schnickschnack-schnurriana liest; er enthält scharfe literarische Satire auf verwilderte Romantiker, die aus Verzweiflung an der Wirklichkeit in eine erlogene Welt des Scheins fliehen.

Der literarische Wert des Werkes von Immermann mag nicht kleiner sein als derjenige von Bürgers Buch. Die Wandlung war aber groß. An die Stelle des heiteren Lügenerzählers trat ein beißend strenger Sittenrichter. Aus dem fröhlichen Genießer des Lebens wurde ein moralisierender Pessimist; aus der Figur des einfachen Jägers und Abenteurers wurde ein komplizierter Charakter, aus dem realen Baron ein ruhelos flüchtiges Lügensymbol. Münch-

---

der Zug *trait*

zu ahnen ist *may be sensed*

der Gelehrte *man of learning*
geschickt *aptly*

ankommen auf *be the main thing*
bunt *lively*
äußere *external*
erlogen *fabricated* die Handlung *action*

die Psychologisierung *psychologizing*
die Seele *soul*

die Übelstände *abuses*
das Abbild *image*
verkörpern *personify*

lügenhaft *lying, deceitful*

verkommen *degenerate*

verwildert *moldering*
der Romantiker *romanticist*
die Verzweiflung *despair*
erlogen *false*
der Schein *illusion*

beißend *caustically*
streng *severe*
der Sittenrichter *censor*
der Genießer des Lebens *man who enjoys life*
kompliziert *complicated*
real *substantial*
ruhelos *restless*
flüchtig *changeable*

hausen hat die Wandlung aber überlebt und rief weitere Nachahmungen hervor.

die Nachahmung *imitation*

Die großen Autoren des Realismus und Naturalismus wußten aber in der zweiten Hälfte des neunzehnten Jahrhunderts mit Münchhausen nichts anzufangen. Erst die sogenannte Heimatkunst weckte ihn wieder zu neuem Leben. Das bekannteste Beispiel ist die Komödie von Friedrich Lienhard (1865–1929).

anfangen *(what to) do*
die Heimatkunst *regional literature*

Lienhard setzt den Begriff der Lüge wieder gleich mit Phantasie, Dichtung und Gefühl. Das Land, in dem die meisten seiner Lügengeschichten spielen, ist die Türkei. Es ist aber nicht die wirkliche, geographische Türkei, sondern ein fernes, romantisches Land der Phantasie.

gleichsetzen *equate*
der Begriff *concept*

Der Münchhausen Friedrich Lienhards soll als dichterische Verklärung der Wirklichkeit wirken. Er ist aber eine typische Figur der Heimatkunst, das heißt, ein idealisierter bodenständiger deutscher Baron aus Bodenwerder, der in der schweren weichen Erde des norddeutschen Provinzialismus wurzelt. Die Gewandtheit des Bürgerschen Lügenbarons hat er aber nicht.

die Verklärung *transfiguration*

bodenständig *indigenous*

weich *soft*

wurzeln *be rooted*
die Gewandtheit *cleverness*

In Lienhards Komödie gibt es eine charakteristische Szene. Münchhausen hatte Lügengeschichten von seiner persönlichen Bekanntschaft mit einem der größten Dichter aller Zeiten, Goethe, und mit einem der größten Schwindler, Cagliostro, erzählt. Die Philister wollen ihn für seine Lügen bestrafen. Es erscheinen verkleidete Gäste, die behaupten, sie seien Goethe und Cagliostro. Nach kurzer Zeit durchschaut Münchhausen die gespielte Komödie und verhöhnt die falschen Gäste. In der Szene wäre Witz am Platze, aber es zeigt sich, daß der Held mehr Gemüt — als Geist hat.

die Bekanntschaft *acquaintance*

die Philister *unimaginative townspeople*
bestrafen *punish*
verkleidet *disguised*
behaupten *maintain*
durchschauen *see through*

am Platze *called for*
das Gemüt *heart and feeling*
der Geist *wit and imagination*

Es gab nach Lienhard Münchhausen in den verschiedensten Gestalten und Kostümen. Franz Keim (1840–1918) schrieb über „Münchhausens letzte Lüge", Ferdinand von Sporck (1848–1928) schrieb eine Münchhausen-Oper, Hans von Gumppenberg (1866–1928) schrieb eine

die Oper *opera*

III. Münchhausen bis heute   85

das Schauspiel *play*

der Publikumserfolg
popular success

anregen *stimulate*

österreichisch *Austrian*

der Film *moving picture*
der Tiefstand *low point*

geschlossen *closed*

die Vorführung *performance*
Vom Winde verweht *Gone With the Wind*

daraufhin *thereupon*
auffordern *call upon*
das Drehbuch *scenario*

Schreibverbot erhalten *be forbidden to write*
aufheben *suspend*

ausweichen *evade*
greifen zu *have recourse to*
der Stoff *theme*

zusammentreffen *meet*

kreuzen *cross*
berüchtigt *infamous*

hübsch *pretty*

Komödie, „Münchhausens Antwort", Herbert Eulenberg (1876–1949) stellte einen melancholischen Träumer auf die Bühne, Walter Hasenclevers (1890–1940) Schauspiel „Münchhausen" kam nach seinem Tode heraus. Die bekanntesten Münchhausen des zwanzigsten Jahrhunderts sind die Romanhelden Erich Kästners (1899–) und Paul Scheerbarts (1863–1915).

Kästner, Autor von internationalen Publikumserfolgen wie „Emil und die Detektive", wurde bei seinem Münchhausen indirekt durch die USA angeregt. Er schrieb das Werk während des Zweiten Weltkrieges. Viele deutsche und österreichische Autoren hatten ihre Heimat verlassen. Nach den großen Jahren des deutschen Films kam ein Tiefstand. Der Propagandaminister Goebbels lud die führenden Filmleute Deutschlands 1942 zu einer geschlossenen Vorführung des amerikanischen Films „Vom Winde verweht" ein. Nach der Vorführung des Films erklärte Goebbels: „Nehmen Sie sich ein Beispiel, meine Herren!"

Die größte deutsche Filmgesellschaft jener Zeit, die UFA, wandte sich daraufhin an Erich Kästner und forderte ihn auf, ein Drehbuch zu schreiben. Kästner hatte Deutschland nicht verlassen. Seine Bücher waren aber 1933 verbrannt worden, und er hatte Schreibverbot erhalten. Das Schreibverbot wurde nun auf kurze Zeit aufgehoben, damit er das Drehbuch schreiben könne. Mehr noch als Bürger und andere wollte und mußte Kästner der Wirklichkeit seiner Zeit ausweichen: er griff zu dem Münchhausen-Stoff.

Wie bei Bürger hat der Baron Karl Friedrich Hieronymus von Münchhausen aus Bodenwerder seine Erlebnisse in Rußland, in der Türkei und auf dem Mond. Wie bei Lienhard trifft er mit Cagliostro zusammen. Aber nicht nur Cagliostro kreuzt seinen Weg, sondern auch der berüchtigte Fürst Potemkin, der Abenteurer Casanova und mehrere hübsche junge Damen.

Von der „historischen Perspektive" aus schreibt

Kästner von Vernunft und Menschlichkeit. „Meine Religion ist die bessere", läßt er den Sultan zu Münchhausen sagen. Doch der erwidert: „Wer will entscheiden, was *besser* ist, wo kaum einer weiß, was *gut* ist."

Kästners Münchhausen erlebt die Französische Revolution und erzählt, wie man da „einander aus Gründen der Tugend und Vernunft die Köpfe abschlug".

Den Tod seines Dieners Kuchenreuter nimmt aber dieser Münchhausen zum Anlaß zu erklären: „Der Mensch ist wie ein Rauch, der emporsteigt und verweht..."

Der Münchhausen Kästners entstand 1942. In dieser Zeit des Elends und Leidens, des Hasses und der Finsternis erhielt Münchhausen durch Cagliostro ein Geschenk, das ihn einem Übermenschen und Halbgott gleichsetzt: ewige Jugend, so lange er selber sie will.

Münchhausen verzichtet auf das Privileg. Er will nichts anderes als Mensch sein. Das heißt mit anderen Worten, daß seine Übermenschlichkeit in jener Zeit gerade in seiner Menschlichkeit liegt, durch die er sich aus der Zeit heraushebt.

In sachlicher, geradezu nüchterner Weise hat Erich Kästner diesen Münchhausen seine eigene Grundformel ausdrücken lassen. Als einer seiner Zuhörer Zweifel an seinen Geschichten äußert, erwidert ihm Münchhausen: „Er hält mich also für einen Schwindler! Existierte Amerika denn erst, nachdem es entdeckt worden war? War der Mann, der vor tausend Jahren sagte, der Mensch könne fliegen, ein Lügner? — Der Mensch mit der stärkeren Einbildungskraft erzwingt sich eine reichere Welt. Das ist kein Schwindel und keine Zauberei."

So ist Münchhausen bei Kästner nicht nur ein Leitbild der Menschlichkeit in einer unmenschlichen Zeit. Er ist in zeitloser Gültigkeit jene Figur, die wie bei Bürger die engen Grenzen des Verstandes durch Phantasie und Geist überwindet. Er ist symbolischer Ausdruck des Dichterischen, das einem tiefen Bedürfnis des Menschen ent-

---

die Vernunft *reason*
die Menschlichkeit *humaneness*

entscheiden *decide*

die Tugend *virtue*
abschlagen *chop off*

zum Anlaß *as an occasion*
der Rauch *smoke*
verwehen *blow away*

das Elend *misery*
der Haß *hatred*
die Finsternis *darkness*

der Halbgott *demigod*
ewig *eternal*

verzichten auf *waive*

nichts als *nothing but*
mit *in*
die Übermenschlichkeit *superhumanness*

sich herausheben aus *set oneself off against*
sachlich *objective*
geradezu *actually*
nüchtern *sober, dry*
die Grundformel *basic formula*
ausdrücken lassen *have express*
der Zuhörer *listener*
der Zweifel *doubt*
äußern *express*

die Einbildungskraft *power of imagination*
sich erzwingen *gain by force*
die Zauberei *witchcraft*

das Leitbild *guiding image*

die Gültigkeit *valid form*

die Grenzen (pl.) *limits*
der Verstand *common sense*

das Bedürfnis *need*

entsprechen *meet*

erlösend wirken *have a liberating effect*

die Armut *poverty*
daraus entsprang *that accounted for*
die Sehnsucht *longing*
Utopie *Utopia*
ahnen *sense*
bevorstehend *imminent*
die Waffe *weapon*
die Abkehr *turning away from*
das Kosmische *cosmic sphere*

gehen um *be a matter of*
die Kulissen (pl.) *setting*
damalig *of that time*
Durchschnitts- *average*
die Ferne *remoteness*
die Äußerlichkeit *exterior circumstance*

großartig *magnificent*

die Wissenschaft *science*
die Kunst *art*
verschwinden *vanish*

der Sinn *meaning*

die Ferne *distance*

die Zukunft *future*

das Brevier *breviary*

die Weltausstellung *world's fair*
der Graf *count*

---

spricht. In diesem einen Punkt bleibt Münchhausen immer Münchhausen.

So war es auch bei Paul Scheerbart, der seinen Berliner Roman „Münchhausen und Clarissa" kurz vor den großen Kriegen des zwanzigsten Jahrhunderts schrieb. Seine Figur ist ein positiver Held wie die Figuren Kästners, Lienhards und Bürgers. „Sie glauben gar nicht, wie erlösend Ihr Erscheinen in Europa wirkt", schreibt die junge Clarissa an ihn.

Paul Scheerbart lebte in Armut und im Elend. Daraus entsprang eine Sehnsucht nach Utopie. Paul Scheerbart ahnte die bevorstehenden Gefahren und Katastrophen Europas. Seine Waffe dagegen, die Waffe des einzelnen, war die Abkehr von Europa, ja die Abkehr von der Erde ins „Kosmische". Ein Vierteljahrhundert vor Scheerbart hatte ein Schriftsteller — er hieß Heichen-Abenheim — einen „Münchhausen in Amerika" (1878) geschrieben. Hier ging es aber mehr um die Kulissen und um die Farben der für den damaligen Durchschnittsdeutschen noch exotischen Ferne. Bei Paul Scheerbart ist es keine Äußerlichkeit, daß der alte Baron von Münchhausen im Alter von hundertachtzig Jahren nach Berlin kommt, um den Berlinern des zwanzigsten Jahrhunderts von einer utopischen Welt in „Australien" zu erzählen.

Die Lügengeschichten von Scheerbarts Münchhausen erzählen von den großartigen Möglichkeiten der Technik, der Wissenschaft und der Kunst. Die alten Themen der Jagd und des Krieges sind verschwunden; das alte Thema der Reiselüge hat einen anderen Sinn bekommen. Es geht um die Reise in eine utopische Ferne, die für eine ferne Zukunft steht, in der die Lügen Wahrheit, die Utopien Wirklichkeit werden.

Scheerbart hat zwei Münchhausen-Dichtungen geschaffen: den „Berliner Roman" und „Das große Licht. Ein Münchhausenbrevier". Im ersten Buch erzählt der Baron selbst seine Lügengeschichten über die Weltausstellung von Melbourne in der Villa des Grafen vom Rabenstein bei Berlin. Zuletzt entführt er mit Einwilligung der Eltern die achtzehnjährige Clarissa nach Wien. Das zweite Buch, „Das große Licht", handelt von den Abenteuern Münchhausens nach dieser Entführung im Orient und im Okzident, auf der Erde und im Weltall.

Technik, Wissenschaft und Kunst sind in den Erzählungen von Scheerbarts Münchhausen außerordentlich hoch entwickelt. Technik und Wissenschaft dienen der Kunst. Es ist eine Kunst, die für das Europa der Zeit Scheerbarts noch in weiter Ferne liegt. Sie beginnt, sich eben erst zu entwickeln im Kopfe Scheerbarts und im Kopfe seines Münchhausen. Er überwindet die Realität der Gegenwart und ihre Enge in höherem Ausmaß als alle seine Vorgänger. Seine Aufschneiderei kommt aus der Sehnsucht seines tiefsten Gefühls; sein Humor ist etwas sehr Ernstes.

Heute wissen wir, daß Scheerbart nicht ohne Grund von einer besseren Zukunft träumte. Ein paar Jahre nach dem Erscheinen seines Berliner Münchhausen-Romans schrieb er ein Essay über „Luftmilitarismus". Der Prophet Paul Scheerbart schrieb in den ersten Jahren des zwanzigsten Jahrhunderts: „Alles, was der Mensch geschaffen hat, kann von Menschenhänden kurz und klein geschlagen werden — in ein paar Sekunden. Diese Erkenntnis kann uns schwermütig machen. Das ist die böse Kehrseite der Erfindung, die man ‚Eroberung der Luft' genannt hat."

Der intellektuelle und kunstbegeisterte Münchhausen Scheerbarts strebt nach einer Utopie des Nichtwirklichen aber Möglichen. Die enge Basis, auf der seine Phantasiepaläste aufgebaut werden, mag alles als unhaltbar erweisen. Der Schluß, den Paul Scheerbart daraus zieht, lautet: Die Bau-Lust ist dennoch real. Mag die Verwirklichung an der Enge verschiedener Hemmnisse scheitern, so spricht das nur gegen die Realität dieser Hemmnisse und spricht dafür, daß das Heil in der Phantasie liegt. Scheerbarts Münchhausen wird zum Modell eines fernen, geträumten Übermenschen, der seine Sehnsucht erfüllt sieht.

III. Münchhausen bis heute 89

Glossary (margin)

zuletzt *in the end*
entführen *elope with*
die Einwilligung *consent*

handeln von *deal with*

die Entführung *elopement*

außerordentlich *extraordinarily*
entwickeln *develop*

in... liegt *is in the distant future*
eben erst *just now*

die Gegenwart *present time*
in...Ausmaß *to a greater extent*
der Vorgänger *forerunner*
die Sehnsucht *longing*

kurz und klein schlagen *smash to bits*
die Erkenntnis *realization*

schwermütig *sad*
die Kehrseite *drawback*
die Erfindung *invention*
die Eroberung *conquest*
begeistert *enthusiastic (about)*
streben nach *strive after*

der Phantasiepalast *castle in the air*
aufbauen *build*
unhaltbar *untenable*
erweisen *prove*
der Schluß *conclusion*
lauten *be*
die Bau-Lust *desire to build*
die Verwirklichung *realization*
das Hemmnis *obstacle*
scheitern an *fail because of*
das Heil *salvation, regeneration*
erfüllen *realize, fulfill*

IV

Münchhausen und Clarissa

Ein Berliner Roman

PAUL SCHEERBART

Das Vorspiel

Die Sonne ging unter. Ganz rot sah sie aus. Der Schnee auf der Erde wurde so rot wie die Sonne.

Und die Gräfin Clarissa vom Rabenstein, die vor ihrem großen Spiegel saß und über ihre Zukunft nach-
5 dachte, wurde auch so rot wie die Sonne.

Vom Fenster der Gräfin aus konnte man den ganzen Wannsee übersehen. Der Wannsee war gefroren.

Die unzähligen Farben des Sonnenunterganges spie-
gelten sich auf dem Eis in vielen dunkleren Tönen und so
10 fein zusammengezogen, daß die Gräfin Clarissa, die es sah, an tausend Märchenschlösser dachte und ausrief:

„Marianne! Kommen Sie schnell! Sehen Sie den See! Der ist köstlicher als Perlmutter — nicht wahr? Der See gehört zu einem Märchenschloß. Hier kann man vergessen,
15 daß man in Berlin wohnt."

Die Kammerzofe kam und sagte:

„Wenn das der *alte* Herr Baron von Münchhausen sehen könnte!"

„Aber, Marianne", sagte lachend die Gräfin, „der
20 alte Herr lebt doch nicht mehr."

Die Gräfin sah in den großen Spiegel ihres Zimmers und dann zu dem Bilde, das über diesem Spiegel hing, hinauf.

Auf diesem Bilde war der *alte* Münchhausen zu sehen
25 — wie er auf einer Kugel ritt — hoch oben in der Luft — mit fliegendem Zopf.

„Es ist traurig, Marianne", sagte die Gräfin, „daß wir heute mit unsern Zeitgenossen so unzufrieden sind. Im

IV. Scheerbarts Münchhausen   93

---

das Vorspiel *prologue*

untergehen *set*
der Schnee *snow*
die Gräfin *countess*
der Spiegel *mirror*
die Zukunft *future*

Wannsee *lake in Greater Berlin*
gefroren *frozen over*
unzählig *countless*
der Sonnenuntergang *sunset*
der Ton *hue*
zusammengezogen *concentrated*
das Märchenschloß *fairy tale castle*
ausrufen *exclaim*
köstlich *precious*
die Perlmutter *mother of pearl*

die Kammerzofe *chambermaid*

der Zopf *pigtail*
traurig *sad*
der Zeitgenosse *contemporary*
unzufrieden *dissatisfied*

vorig *previous*
umkrempeln *change thoroughly*

vorigen Jahrhundert sind so viele Dinge umgekrempelt worden. Aber die Menschen selber sind nicht umgekrempelt worden.

Der *alte* Münchhausen müßte kommen und die Menschen umkrempeln. Wenn der *alte* Münchhausen heute 5 lebte, dann würde er nur noch auf Bomben reiten."

"Wie sich doch die Zeiten ändern!" sagte die Marianne

tiefsinnig *pensively*

tiefsinnig.

ertönen *ring*
die Hausglocke *door bell*

Nach diesen Worten ertönte die große Hausglocke. Marianne ging hinaus, um zu hören, wer da kam. 10

leise *softly*

"Wer kann", fragte sie leise, "jetzt zu uns kommen?

Mittag *lunch*

Wir müssen doch gleich Mittag essen."

regelmäßig *well proportioned*
der Nasenrücken *bridge of the nose*
geschwungen *arched*
die Braue *brow*
ruhig *calm*

Die Gräfin hatte ein regelmäßiges Gesicht, einen schmalen Nasenrücken, hoch geschwungene goldbraune Augenbrauen und ruhige braune Augen. 15

"Jetzt bin ich schon achtzehn Jahre alt", sagte sie leise.

auf- und zumachen *opening and closing*
sich weit nach vorn beugen *bend far over*
lauschen *listen*
währenddessen *meanwhile*

Unten im Arbeitszimmer des alten Grafen hörte man ein paar Türen hastig auf- und zumachen. Die Gräfin beugte sich weit nach vorn und lauschte. Die Marianne hörte währenddessen unten die Stimme eines Besuchers, 20 der sagte: "Ich bin der *alte* Baron Münchhausen."

nach oben *upstairs*

Als Marianne das hörte, lief sie schnell nach oben und rief: "Er ist es! Er ist es!"

Die Gräfin fragte: "Wer denn?"

zitternd *trembling*

Und da sagte die Marianne zitternd: "Der *alte* Baron 25 Münchhausen! Der da!"

zeigen auf *point to*

Und sie zeigte auf das Kugelbild über dem Spiegel der Gräfin.

flüstern *whisper*
dir... schon *you have a screw loose*

Clarissa lachte laut und flüsterte dann leise: "Marianne! Marianne! Dir rappelt es schon." 30

Aber Marianne sagte: "Sie können es selbst hören. Der Baron von Münchhausen ist im Zimmer des Grafen. Wenn wir die Tür dort öffnen, können wir alles hören."

voran *ahead*

Sie ging voran, und die Gräfin Clarissa folgte. Sie öffneten die Tür und hörten unten den alten Grafen Adolf 35 vom Rabenstein sagen:

94 Lügendichtung

„Aber, Herr Baron, daß Sie mich zuerst mit Ihrem Besuch beehren, das ist mir eine große Herzensfreude. Was wird nur die Welt sagen, wenn sie hört, daß Sie wirk-lich noch leben. Das ist ja die größte Sensation unserer
5 Zeit! Also einhundertachtzig Jahre sind Sie alt, Herr Baron? Das sieht man Ihnen noch nicht an. Meine Tochter Clarissa ist gerade erst achtzehn Jahre alt."

Hierzu erwiderte der Baron mit seiner ruhigen tiefen Stimme:

10 „Herr Graf, wenn Sie der Meinung sind, daß mein Erscheinen in Europa ein großes Aufsehen erregen könnte, so irren Sie sich. Ich bin jetzt gute vier Wochen in Europa und habe die Europäer besser kennengelernt; die sind nicht so leicht aus dem Text zu bringen. Wenn Alexander der
15 Große plötzlich in Berlin erscheinen würde, so könnte man auch nur überall hören: Ach so! Alexander, der in Indien war! Und so wird man von mir auch nur sagen: Ach so! Münchhausen, der auf den Südseeinseln war! Ja, Herr Graf, Sensation machen ist heutzutage sehr schwer."

20 „Aber, Herr Baron!" rief da laut der alte Graf vom Rabenstein, „so schlecht dürfen Sie doch nicht von den Europäern denken. So lethargisch ist man hier doch noch nicht geworden."

„Herr Graf", sprach der Baron ganz ernst, „Sie sind
25 ein alter Herr und leben nicht im Volke — Sie leben mehr in Ihrer köstlichen Villa — da haben Sie keine richtige Vorstellung von der Dummheit, die heute in Europa herrscht. Man könnte darüber lachen — aber man könnte auch vor Langeweile sterben. Jedenfalls muß ich jetzt mit
30 meinem Autoschlitten nach Potsdam fahren. Entschuldi-gen Sie mich, Herr Graf, daß ich es so eilig habe."

Der Baron stand auf und gab dem Grafen die Hand, aber der Herr vom Rabenstein rief heftig:

„Halt, Herr Baron! So lasse ich Sie nicht fort! Ich
35 hörte soeben, daß Sie auf den Südseeinseln waren. Ich lade eine kleine Gesellschaft ein — und Sie erzählen uns was."

beehren *honor*
die Herzensfreude *delight*

einem ansehen *tell by looking at someone*

hierzu *to this*

die Meinung *opinion*
Aufsehen erregen *create a stir*
sich irren *be mistaken*
sind aus dem Text zu bringen *become ruffled*

heutzutage *nowadays*

lethargisch *lethargic, indifferent*

köstlich *exquisite*
die Vorstellung *conception*
herrschen *prevail*

vor Langeweile *of boredom*
jedenfalls *in any case*
der Schlitten *sled*
entschuldigen *excuse*
es so eilig haben *be in such a hurry*

heftig *intensely*

fort lassen *let go*

soeben *just*

was *something*

versetzen *reply*

die Weltausstellung
  World's Fair

großartig *splendid*

begeistert *enthusiastic*

der Zuhörer *listener*

indessen *however*

mindestens *at least*

ganz bestimmt *definitely*

zuhören *listen to*
überzeugt *certain,*
  convinced

lächeln *smile*

oben *upstairs*

weinen *cry*

dabei *at the same time*

währenddem *meanwhile*

das Rad *wheel*
gewöhnlich *ordinary*

das Zahnrad *cogwheel*
in Tätigkeit kommen
  start functioning
hochziehen *lift up*
sich trennen *part*

„Von den Südseeinseln", versetzte Münchhausen, „können Ihnen andre Leute was erzählen. Wie wäre es aber, wenn ich von der letzten Weltausstellung in Melbourne erzählen möchte?"

„Großartig!" rief der Herr vom Rabenstein, „was Sie uns auch erzählen mögen — Sie werden hier begeisterte Zuhörer finden."

„Indessen", fuhr nun Münchhausen fort, „um Ihnen das zu erzählen, was ich Ihnen von der Weltausstellung in Melbourne erzählen möchte, dazu brauche ich mindestens sieben Tage — eine ganze Woche."

„Großartig", rief der Herr vom Rabenstein wieder, „Sie finden hier Zuhörer, die Ihnen ganz bestimmt sieben Jahre zuhören würden — davon können Sie wirklich überzeugt sein."

Der Baron lächelte und sagte leise: „Na, ja! Heute ist Dienstag. In Potsdam muß ich mehrere Tage bleiben. Doch nächsten Montag werde ich pünktlich abends um sieben Uhr wieder hier sein."

Die beiden Herren verließen darauf das Arbeitszimmer. Die Gräfin Clarissa saß oben und weinte — und ihre Kammerzofe Marianne weinte auch. Und sie sprachen dabei nicht ein einziges Wort.

Der Baron Münchhausen setzte sich währenddem in sein Schlittenauto und erklärte dem Grafen dessen Konstruktion.

„Natürlich", sagte er, „sind auch Räder gewöhnlicher Art unter meinem Automobil, außerdem befindet sich unten in der Mitte ein Zahnrad, das in Tätigkeit kommt, sobald die Räder hochgezogen sind."

„Ich verstehe", antwortete der Graf. Danach trennten sich die beiden Herren.

Die Gräfin Clarissa wollte alles wissen. „Nur seine Stimme habe ich gehört. Du aber hast ihn gesehen", sagte sie zu ihrem Vater. „Wie sieht er denn aus? Oh — erzähl mir das doch! Und wen wollen wir einladen? Väterchen, ich glaube, ich bin ein bißchen toll geworden. Ich weiß nicht mehr, wo mir der Kopf steht."

In den nächsten Tagen wurden die Einladungen versandt. Die Einladungen hatten aber durchaus nicht den gewünschten Erfolg; die meisten schrieben einfach ab, mit der Erklärung, daß sie für solchen umständlichen tagelangen Faschingsscherz keine Zeit hätten.

Der alte Graf vom Rabenstein lief mit seiner Gemahlin in seinem Arbeitszimmer herum und lamentierte.

Die Clarissa aber, die das Lamentieren oben hörte, fing plötzlich an, ein großes Präludium von Händel zu spielen — und sprach dann von oben herab zu Papa und Mama — also:

„Verehrte Eltern! Ich werde alle berühmten Leute in Berlin einladen. Ihr habt ohne Frage nur an Spießbürger geschrieben und ganz vergessen, was der alte Münchhausen von der Dummheit sagte, die heute überall herrscht. Heute ist Freitag. Übermorgen werden wir so viele Zusagen haben, daß wir zufrieden sein können."

Die Clarissa tat, was sie gesagt hatte.

Und am Sonntag kamen die Zusagen in solcher Anzahl, daß der alte Graf und seine Gemahlin ganz vergnügt wurden.

toll *mad*

versenden *send out*
durchaus nicht *by no means*
abschreiben *decline*
umständlich *long-winded*
der Faschingsscherz *carnival jest*
die Gemahlin *wife*
lamentieren *grumble*
oben *upstairs*
das Präludium *prelude*
Georg Friedrich Händel (1685–1759) verehrt *dear and revered*
berühmt *famous*
der Spießbürger *philistine, bourgeois*
überall *everywhere*
herrschen *reign*
übermorgen *day after tomorrow*
die Zusage *acceptance*
die Anzahl *number(s)*
vergnügt *cheerful*

Der Montag

der Erfinder *inventor*

der Künstler *artist*
der Gelehrte *scholar*
betreten *enter*

gedeckt *set*

die Limonade *soft drink*

empfangen *receive*

begrüßen *welcome*
gleich *immediately*
lautlos *silently*
kaum *hardly*
atmen *breathe*

bequem *comfortable*

die Postkutsche
  stagecoach
hinbefördern *transport*
nachbilden *copy from*
recht gemütlich *very*
  pleasantly
empfangen *receive*
der Lakai *lackey*
der Zopf *pigtail*
nach oben *upstairs*
in der Tiefe *below*

Am Montag fiel sehr viel Schnee, und die Gäste kamen alle in Schlitten. Es kamen über hundert Gäste an — und sie hatten fast alle berühmte Namen; Erfinder und Dichter, Künstler und Gelehrte, Ärzte und Architekten, Politiker und andere Leute betraten die großartige Villa 5 des Grafen vom Rabenstein.

Die meisten Gäste kamen schon nach fünf und fanden in den kleineren Zimmern gedeckte Tische mit Delikatessen, Tee, Rum, Kognak und Limonaden.

Berühmte Damen waren natürlich auch da. 10

Münchhausen erschien Punkt sieben Uhr in seinem Autoschlitten vor der Villa, wurde vom alten Grafen persönlich empfangen und ins Haus geführt.

Nachdem man ihn begrüßt hatte, fing er gleich an und sprach, während die Gesellschaft lautlos dasaß und kaum 15 zu atmen wagte, das Folgende:

„Als ich vor dreizehn Monaten aus der Südsee nach Melbourne kam, wollte ich sofort die neue große Weltausstellung sehen, die gute sechs Meilen nordwestlich von Melbourne liegt. Die Ausstellungsbesucher werden in 20 alten, sehr bequemen Postkutschen hinbefördert, die den großen Postkutschen des achtzehnten Jahrhunderts nachgebildet sind. Man fährt so recht gemütlich.

„Wenn man bei der Ausstellung ankommt, wird man empfangen — wie im achtzehnten Jahrhundert — von La- 25 kaien mit Zöpfen. Danach fährt man nach oben und wird in ein gemütliches kleines Zimmer geführt. In der Tiefe liegt ein kolossaler See. Man setzt sich ans Fenster, bekommt ein

gutes Frühstück, die Morgenzeitungen und die neuesten
Bücher. Man hat gar nicht die Empfindung, in einer Weltausstellung zu sein. Die Nerven fühlen sich so recht beruhigt.

    „Man fühlt sich wie zu Hause und möchte gar nicht
5 wieder aufstehen. Und, meine Damen und Herren, das hat
man auch nicht nötig; denn das Panorama verändert sich.
Plötzlich steigen Fontänen aus dem See heraus. Dann sieht
man, wie sich große Inseln nähern; man sieht schwimmen-
de Paläste und Terrassen. Die Zimmer des Hotels sind alle
10 so eingerichtet, daß man in ihnen durch die ganze Ausstellung fahren kann. So recht was für bequeme Leute, die da
gerne sagen ‚Fahre zu Hause!‘ — Man fährt, ohne zu bemerken, daß man fährt.

    „Überall sieht man ‚bewegliche Architektur‘. Während
15 Sie auf dem Diwan liegen, sehen Sie draußen immer wieder
neue Brücken und Galerien, Balkone und Türme. Sie dürfen
nicht annehmen, daß eine Brücke so aussieht wie die andere.
Jede Brücke, jeder Turm ist ein apartes Kunstwerk. Stellen
Sie sich das alles einmal mit geschlossenen Augen vor!“
20   Alle schlossen die Augen, und der Baron goß sich ein
Glas Wein ein. Er schmunzelte, als er sah, daß man seinem Trinken nicht zusah; er goß sich noch ein zweites und
ein drittes Glas ein und bemerkte dabei, daß die Gräfin
Clarissa die Augen geöffnet hatte. Er trank ihr lächelnd zu.
25 Sie drückte ihr Spitzentaschentuch gegen ihren Mund.
Clarissa nahm danach schnell ein kleines Notizbuch in die
Hand und schrieb hinein:

    „Sehr sehr verehrter Herr Baron! Kommen Sie bitte
morgen schon am Vormittag zu uns! Sie glauben gar nicht,
30 wie erlösend Ihr Erscheinen in Europa wirkt. Es ist durchaus nötig, daß wir Verschiedenes noch besprechen. Bleiben
Sie nicht zu lange in Potsdam! Überhaupt: Ich bin sehr
eifersüchtig auf Potsdam. Ich will natürlich nicht fragen,
was Sie da machen — aber — ich denke mir eine ganz tolle
35 Potsdamer Geschichte zusammen“.

          C.v.R.

IV. Scheerbarts Münchhausen   99

Glossar (Randspalte):

- die Empfindung — *feeling*
- sich fühlen — *feel*
- beruhigt — *soothed*
- nötig haben — *need to*
- die Fontäne — *fountain*
- heraussteigen — *rise*
- sich nähern — *approach*
- die Terrasse — *terrace*
- eingerichtet — *built*
- so recht was — *just the right thing*
- bequem — *lazy*
- fahren — *travel*
- bemerken — *notice*
- beweglich — *moving*
- die Galerie — *gallery*
- der Balkon — *balcony*
- der Turm — *tower*
- annehmen — *assume*
- apart — *singular*
- das Kunstwerk — *work of art*
- sich vorstellen — *picture*
- schließen — *close*
- eingießen — *pour*
- schmunzeln — *grin*
- zusehen — *watch*
- drücken — *press*
- das Spitzentaschentuch — *lace handkerchief*
- das Notizbuch — *notebook*
- verehrt — *dear and revered*
- erlösend wirken — *have a liberating effect*
- das Erscheinen — *appearance*
- nötig — *necessary*
- Verschiedenes — *different things*
- besprechen — *discuss*
- überhaupt — *really*
- eifersüchtig auf — *jealous of*
- sich zusammendenken — *picture*
- toll — *wild*

Das Notizbuch überreichte die Gräfin dem Baron. Er las, verbeugte sich und sagte leise: „Es soll geschehen."

Nach diesen Worten öffneten die Gäste des Grafen vom Rabenstein wieder die Augen. Der Baron fuhr in seiner Erzählung fort, bis er sagte, er müsse eine Pause 5 machen, da er erschöpft sei.

Die Gräfin Adolfine vom Rabenstein ließ Erfrischungen bringen und sagte: „Wir können uns gar nicht genug wundern, daß Sie so jung aussehen. Man könnte Sie für achtzig halten. Aber daß Sie hundertundachtzig Jahre alt 10 sind — nein!"

Die Gräfin Clarissa erklärte dem alten Baron, daß sie schon jahrelang an ihn gedacht habe — und daß sein Kugelritt über ihrem großen Spiegel der einzige bildliche Schmuck ihres Zimmers sei. 15

Der Baron lachte und streichelte ihre weiße linke Hand mit seiner alten tausendfältigen braunen.

„Sind Ihre Kopfhaare", fragte Clarissa dabei, „auch wirklich ganz echt?"

Da nahm der Baron der Gräfin Hand und legte sie 20 sich auf den Kopf: „Meine kurzen weißen Kopfhaare sind so echt wie meine weißen Schnurrbarthaare — und auch so echt wie meine buschigen Augenbrauen."

Münchhausen erzählte noch manches von der beweglichen Architektur, von der Lichtarchitektur, der Bild- 25 hauerkunst und von einer Fahrt mit einer Drahtseilbahn in die Luft. „Diese Fahrt da oben in der Lichtarchitektur war die herrlichste Fahrt meines Lebens", sagte er.

Die Gräfin Clarissa überreichte ihm eine kostbare Orchidee. 30

Danach verließ der Baron die Gesellschaft, setzte sich in seinen Automobilschlitten und fuhr nach Potsdam.

Der Mond schien ganz hell.

100   *Lügendichtung*

Der Dienstag

Selbstverständlich war der Baron Münchhausen am Dienstag um zwölf Uhr mittags in der Rabensteinschen Villa. Man sprach über die moderne Architektur.

„Sie glauben gar nicht, Herr Baron", sagte die alte
5 Gräfin Adolfine vom Rabenstein, „was die Berliner Architekten heute machen. Früher konnte der Bauherr noch etwas sagen; das gibt es heute nicht mehr. Wir haben nur das Recht zu bezahlen. Nicht einen einzigen Stuhl haben wir uns ohne Erlaubnis des Architekten anschaffen dürfen.
10 Es fehlt nur noch, daß er uns die Kleider kauft."

„Ja", versetzte da Münchhausen, „die Gräfin Clarissa erzählte mir von einem Bild in ihrem Zimmer. Auf dem Bild soll ich auf einer Kugel reitend dargestellt sein. Hat denn Ihr Architekt erlaubt, das Bild anzubringen?"

15 „Acht Wochen", rief Clarissa, „habe ich für Ihr Bild, Herr Baron, gekämpft — wie eine Löwin, die ihr Jüngstes verteidigt."

„Meine Gnädige", erwiderte der Baron lachend, „wenn ich mich so als Ihr Jüngstes fühle — so geht mir
20 alles im Kreise herum. Aber der Architekt hat schließlich das Bild selber eingerahmt, nicht wahr?"

„Natürlich", sagte Clarissa, „aber es mußte zusammen mit einem großen Spiegel in einen Rahmen. Über dem Spiegel reiten Sie jetzt."

25 Die alte Gräfin meinte dazu finster: „Wir leben in einer Tyrannenepoche, und die Architekten sind heute die größten Tyrannen."

„Aber, Adolfine", sprach da der Graf langsam, „diese

selbstverständlich *of course*

der Bauherr *builder*

die Erlaubnis *permission*
sich anschaffen *purchase*
es... noch *all we need is*

versetzen *answer*

darstellen *represent*

erlauben *permit*
anbringen *hang*

kämpfen *fight*

verteidigen *defend*

meine Gnädige *gracious lady*

der Kreis *circle*
schließlich *eventually*
einrahmen *frame*

es mußte *it had to go*

der Rahmen *frame*

finster *gloomily*

schlimmst   *worst*

sich gefallen lassen   *put up with*
schlimm   *bad*

Sie... erst   *wait till you*

die Lebensführung   *manner of living*
aufzwingen   *force on*
künstlerisch   *artistic*
die Stimmung   *mood*
die Beschäftigung   *pursuit*

versammelt   *assembled*
das Weitere   *the further details*

das Äußere   *exterior*

Innen-   *interior*

die Technik   *technology*

gegenüber   *in relation to*
einnehmen   *assume*
feindlich   *hostile to*

der Techniker   *technologist*
tätig   *active*
durchaus   *absolutely*
mehrfach   *repeatedly*

sei   *may... be*
sich ändern   *change*
der Erdteil   *continent*

her   *ago*

die Spitze   *head*
marschieren   *march*

kein Sterbenswörtchen   *not a word*

erfahren   *find out*

die Rivalität   *rivalry*

die Konkurrenz   *competition*
befürchten   *fear*

die Ahnung   *idea*
die nächste Zukunft   *immediate future*

Tyrannen sind nicht die schlimmsten. Ich stehe ganz auf ihrer Seite und lasse mir solche Tyrannei gerne gefallen."

„Das ist noch gar nicht so schlimm", sagte dazu der Baron. „Sie sollten nur erst die Architekten in Melbourne kennenlernen. In Melbourne will der Architekt die ganze 5 Lebensführung der Menschen beeinflussen. Er zwingt ihnen künstlerische Stimmungen und künstlerische und auch literarische Beschäftigungen auf. Heute abend will ich Ihnen mehr davon erzählen."

Nach sieben Uhr, als die Gesellschaft wieder wie am 10 Tage vorher versammelt war, erzählte der Baron das Weitere von Melbourne.

„Gestern habe ich nur vom Äußeren der Ausstellung erzählt", sagte er, „aber heute will ich besonders von der Innenarchitektur berichten. Zunächst habe ich aber ein 15 paar Worte zu sagen über die Stellung, die die Technik der Kunst gegenüber einnimmt. Hier in Europa empfand man die Technik, wie ich gehört habe, als kunst*feindlich*. In Australien sind die Techniker aber im Dienst der Kunst tätig und durchaus kunst*freundlich*. Auf der australischen 20 Weltausstellung ist mehrfach das Motto zu lesen: ‚Kunst und Kultur sei Eines nur!' Ja, ja! So ändern sich die Zeiten — und so ändern sich die Erdteile. Es ist noch nicht lange her, da glaubte man in Europa, daß das liebe Europa immer an der Spitze der Kultur marschieren würde." 25

„Wie ist es nur möglich, Herr Baron", rief die Gräfin Clarissa, „daß man in Europa bis heute kein Sterbenswörtchen von der enormen Geisteskultur der Australier erfahren hat?"

„Aber, meine Gnädigste", versetzte der Baron, „es 30 ist sehr weit von hier bis Melbourne! Und dann — die Rivalität! In Europa hat man eben Furcht vor der australischen Konkurrenz. Die Zeitungen dürfen von Australien nicht sprechen — man befürchtet eben Revolutionen. Wenn Sie eine Ahnung hätten, wie man sich in europäischen 35 Gesellschaftskreisen vor der nächsten Zukunft fürchtet.

Und — mit Recht! Erfährt man hier erst Näheres über Australien, so will man auch australische Zustände haben."

Die Diener reichten Kaviar mit warmem Rostbrot und Pilsener Bier herum; man saß an kleinen Tischen.

5 Verschiedene Damen wollten zunächst Näheres über australische Erfindungen hören.

„Wie reinigt man in Australien die Zimmer?" fragte die eine Dame.

„Die Möbel und Teppiche", versetzte der Baron, 10 „werden mechanisch hochgehoben und mechanisch gereinigt. Es ist fast alles mechanisch. In der Küche gibt es Kartoffelschälmaschinen, mechanische Koch- und Bratapparate — ich glaube sogar, mechanische Salzstreubüchsen gibt es auch. Die Köchin ist in Australien eigentlich 15 eine überwundene Sache. Und die Diener fast auch, denn durch kleine Fahrstühle werden die Speisen aus der Küche ins Speisezimmer hinübergeführt."

Die Damen fragten danach nach allen möglichen technischen Kleinigkeiten, und er gab auf alles eine Ant-20 wort.

Schließlich sagte er aber sehr laut: „Ich wollte heute von der sogenannten Innendekoration sprechen. Die Techniker beschäftigen sich lebhaft mit allen künstlerischen Dingen. Sie haben sich besonders mit den Wänden 25 beschäftigt. Die neuen Tapeten befinden sich zum Beispiel auf Metallwänden; die Muster sind variabel und verändern sich immerzu. Die Muster der Tapeten verändern sich durch Säuren und Dämpfe, die vom Innern der Wände aus auf die Metallplatten wirken.

30 „Ich sagte heute schon, daß die Architekten nicht nur die Innendekoration bestimmen; sie bestimmen auch das ganze Leben der Hausbewohner. Durch die Beweglichkeit der Wände empfangen sie zum Beispiel immerzu neue Eindrücke, die auch aus ganz stupiden Leuten Künstler-35 naturen machen. So wird die Innendekoration zu einem künstlerischen Erziehungsmittel.

---

mit Recht *justifiably*
Näheres *details*
der Zustand *condition*

herumreichen *pass round*
das Rostbrot *toast*

die Erfindung *invention*

reinigen *clean*

die Möbel *furniture*
der Teppich *rug*
hochheben *lift up*

die Küche *kitchen*

die Kartoffel *potato*
schälen *peel*
die Salzstreubüchse *salt shaker*

die überwundene Sache *obsolete institution*
der Fahrstuhl *wheelchair*

das Speisezimmer *dining room*
hinüberführen *take over*

die Kleinigkeit *detail*

sich beschäftigen *occupy oneself*
lebhaft *vigorously*
die Wand *wall*
die Tapete *wallpaper*

das Muster *pattern*

immerzu *constantly*

die Säure *acid*
der Dampf *vapor*
wirken auf *effect*

bestimmen *determine*

die Beweglichkeit *mobility*

der Eindruck *impression*
Künstler- *artistic*
das Erziehungsmittel *means of education*

---

lebendiger gestalten
 give more liveliness to

das Gehirn *brain*

erzeugen *produce*

der Scherz *joke*

langweilig *boring*
vorkommen *seem*
bestellen *order*

dazu *besides*

einfallen *occur to*
die Hauptsache *main
 thing*

der Schwarzkünstler
 magician

der Palast *palace*

der Geruch *odor*

die Empfindungssphäre
 range of sensation
eröffnen *open up to*

toll *fantastic*
weltgestaltend *giving
 new form to the world*
die Kraft *power*
das Versuchskaninchen
 guinea pig

sich handeln um *be a
 question of*
die Steigerung
 intensification
geistig *intellectual*

erbauen *build*

„Die Techniker tun immer mehr, um das Innere der Häuser lebendiger zu gestalten. Das Hausinnere wird viel interessanter als das Menscheninnere."

„Auch interessanter als das menschliche Gehirn?" fragte Clarissa. „Kann das australische Haus auch selber 5 neue Gedanken erzeugen?"

„Jawohl", sagte der Baron, „in Ihrem Kopfe und in meinem Kopfe und in den Köpfen derer, die in den australischen Häusern wohnen."

„Wenn das alles ein Scherz ist", sagte Clarissa leise, 10 „so muß ich sagen, daß ich solche Scherze jeden Tag von Ihnen hören möchte — ja, daß mir ein Leben, in dem ich nicht immerzu solche Scherze von Ihnen hören könnte, sehr langweilig vorkommen würde."

Die Gräfin Clarissa bestellte Champagner. Sie tran- 15 ken beide Champagner und rauchten kleine, sehr starke Zigarren aus Melbourne dazu.

Es war schon nach elf Uhr, als dem Baron plötzlich einfiel, daß er die Hauptsache noch gar nicht erzählt hatte.

„Meine Damen und Herren!" rief er daher plötzlich, 20 und es wurde gleich ganz still, „fast hätte ich vergessen, Ihnen von den australischen Schwarzkünstlern zu erzählen. Das sollte ja die Hauptsache am heutigen Abend sein.

„Die Schwarzkünstler wohnen in sehr einfachen Palästen. Dort wollen sie den Menschen durch Gerüche und 25 Luftkompositionen neue Empfindungssphären eröffnen. Einzelne dieser Schwarzkünstler experimentieren in einer tollen Art; sie wollen ganz stupiden Leuten eine weltgestaltende Phantasiekraft geben — durch chemische Parfüms. Ich selber ließ mich als Versuchskaninchen ge- 30 brauchen und habe die neue Empfindungssphäre für ein paar Minuten erlebt. Es handelt sich bei diesen Experimenten um eine Steigerung der geistigen Kräfte des Menschen."

Der Baron fuhr fort: „Auch ein kleines Wundertheater haben sich die Herren Schwarzkünstler erbaut. Dieses 35

Theater sollten Sie sehen, und die Stücke sollten Sie sehen! Da können Sie die abenteuerlichsten Gestalten mitten in Weltallswolken erblicken; da können Sie hören, wie sich diese abenteuerlichsten Gestalten in anderen Weltregionen 5 mit anderen Dingen unterhalten. Sie werden vielleicht nicht immer folgen können, aber durch die Direktoren werden Sie ein bißchen informiert und lernen etwas von anderen Weltregionen kennen.

„Man denkt ja manchmal, man könnte sich ganz 10 leicht vorstellen, wie die Erde mit dem Mond zusammen im Weltall herumkreist. Aber sieht man das in großen kosmischen Dimensionen vor sich — so wie ein tausend Meilen großer Riese es sehen würde — so merkt man erst, auf welchem Stern man sein sogenanntes Leben lebt."

15 Der Baron bat Fräulein Clarissa um einen Kognak, bekam ihn und trank auf das Wohl der Familie Rabenstein.

Münchhausen empfahl sich.

Zwei Minuten später fuhr sein Automobilschlitten 20 eilig durch die Schneelandschaft im Vollmondschein nach Potsdam.

abenteuerlich *strange*

die Weltallswolke *cosmic cloud*
erblicken *see*

sich unterhalten *converse*

sich vorstellen *picture*

das Weltall *cosmos*
herumkreisen *revolve*

der Riese *giant*
merken *notice*
sogenannt *so-called*

auf das Wohl *to the health*

sich empfehlen *say good-bye*

eilig *hurriedly*
die Schneelandschaft *snowy landscape*

Der Mittwoch

Am Mittwoch kam der Baron Münchhausen erst um acht Uhr abends in die Rabensteinsche Villa. Er begann sofort:

„Mit dem menschlichen Leben ist im Großen und Ganzen nicht viel anzufangen; der Mensch hat nur einen einzigen Kopf und nur einen einzigen Rumpf und nur zwei Arme und nur zwei Beine. Ein solches Lebewesen, das nicht einmal fliegen kann, ist nicht in der Lage, den großen Bildhauern Melbournes als Modell zu dienen.

„Man will in Melbourne Gestalten schaffen, die ein Leben führen können, das größer und weltumfassender ist als das menschliche. Die Gestalten werden daher mit Organen ausgestattet, die komplizierter sind als die menschlichen. Sie werden natürlich gerne behaupten wollen, daß die menschlichen Organe schon kompliziert genug sind. Der Mensch kann natürlich weiter seine Freude haben an dem, was ihm seine sogenannten fünf Sinne direkt vermitteln. Für den Menschen aber, der weiß, daß seine sogenannten fünf Sinne doch nur einen ganz kleinen Teil der Weltengroßartigkeit enthüllen, wird der Mensch als Darstellungsobjekt der Skulptur nur einen ganz kleinen Faktor darstellen."

„Wie kann man aber solche Wesen mit dem, was man sonst zu denken gewohnt ist, in Zusammenhang bringen?" fragte die Gräfin Clarissa. „Die Gefühlseffekte bleiben doch aus."

„Sie wollen sagen", versetzte Münchhausen, „das Neue sei nicht so interessant wie das Alte. Sie haben aber

im Großen und Ganzen *by and large*
nicht... anzufangen *one can't do much with*
der Rumpf *rump, torso*

das Lebewesen *living being*
die Lage *position*

der Bildhauer *sculptor*

weltumfassend *universal*

ausstatten *provide with*
kompliziert *complicated*
behaupten *maintain*

vermitteln *convey*

die Großartigkeit *grandeur*
enthüllen *disclose*
die Darstellung *representation*
darstellen *represent*
das Wesen *being*

gewohnt *accustomed*
in Zusammenhang bringen *relate to*
Gefühls- *emotional*
ausbleiben *fail to appear*

das Neue noch gar nicht gesehen. Neben Impulsen gefühls-
mäßiger Art gibt es noch andere Assoziationen, die nicht
gefühlsmäßig sind."

„Unterschätzen Sie nicht", fragte die alte Gräfin
Adolfine vom Rabenstein, „den Erinnerungswert in der
Kunst?"

Da erwiderte Münchhausen: „Meine sehr gnädige
Frau, vergaßen Sie nicht bei Ihrer letzten Frage, daß
ich hundertundachtzig Jahre alt bin? Und vergaßen Sie
auch nicht, daß alte Leute auch über die Bedeutung der
Erinnerung nachdenken? Und haben Sie daher nicht bedacht, daß ich über hundert Jahre über den Wert der Erin-
nerungsassoziationen *auch* nachgedacht habe?

„Alle Dinge haben ihre Schattenseiten — und ganz
gewiß auch die neuen Dinge; manche Dinge werden uns
nur durch ihren Erinnerungswert voll und bedeutsam, aber
manche werden uns auch durch ihren Erinnerungswert abgeschmackt und banal."

„Aber, Herr Baron," rief die Gräfin, „ich bekämpfe
ja nicht das Neue; ich möchte nur vor dem Neuen noch
mehr empfinden als vor dem Alten."

„Was ich Ihnen bisher erzählte", sagte der Baron,
„war nur eine Schilderung der dekorativen Außenseite.
Das Intimere soll nachher kommen.

„Ich habe die Bildhauer Melbournes in ihren Ateliers
aufgesucht, in denen man keine weiblichen und männlichen Modelle findet. Sklavische Nachahmung der Natur
gibt es nicht; dazu sind die photographischen Apparate da.
Dagegen finden wir in diesen Ateliers Lebewesen vom
Saturn und von vielen anderen Sternen. Diese Wesen sind
nicht so primitiv wie wir.

„Ach, meine Damen und Herren, es ist schwer, Ihnen
eine Vorstellung von allen diesen Dingen zu geben. Leider
habe ich die Photographien, die ich mir in Melbourne
kaufte, auf der Reise verloren."

Da riefen viele Damen „Oh!" und „Ach!"

gefühlsmäßig   *emotional*

unterschätzen
   underestimate
der Erinnerungswert
   *importance of
   reminiscence*

gnädig   *gracious*

nachdenken   *reflect*
bedenken   *consider*

die Schattenseite   *dark
   side*

bedeutsam   *meaningful*

abgeschmackt   *insipid*

bekämpfen   *oppose*

empfinden   *feel, sense*

bisher   *up to now*

das Intimere   *the more
   intimate aspect*
das Atelier   *studio*

aufsuchen   *go to see*
weiblich   *feminine*
männlich   *male,
   masculine*
sklavisch   *slavish*
die Nachahmung
   imitation
dagegen   *on the other
   hand*

die Vorstellung   *idea*

die Photographie
   picture

In diesem Augenblick bat die Gräfin Clarissa den Baron, für ein paar Minuten ihr ans Fenster zu folgen. Und dort sagte sie ihm: „Morgen bin ich in Berlin. Kann ich Sie nicht um elf Uhr im Café Josty am Potsdamer Platz sprechen?"

der Platz *square*

„Selbstverständlich", sagte der Baron, „mit Vergnügen. Ich bin pünktlich da."

selbstverständlich *of course*
das Vergnügen *pleasure*

„Danke schön", sagte Clarissa.

Danach gingen sie wieder in den Saal, und der Baron sprach noch zu dem kleinen Kreise von den Wirkungen der Skulptur der kolossalen Dimensionen.

der Saal *large room*

die Wirkung *impression produced*

Da der Baron sehr müde war, fuhr er nach kurzer Zeit in seinem Schlittenautomobil wieder nach Berlin.

Der Donnerstag

Am Donnerstag saß die Gräfin Clarissa vom Rabenstein vormittags um elf Uhr bei Josty, sah auf den Potsdamer Platz und dachte an ihren Baron.

Fünf Minuten nach elf Uhr fuhr Münchhausens Automobil vor.

„Entschuldigen Sie gütigst“, sagte gleich darauf der alte Herr, „daß ich fünf Minuten später gekommen bin. Ich hatte im Ministerium für öffentliche Arbeiten zu tun. Leider läßt sich in meinem Alter alles nicht mehr so schnell machen wie einst in der Mitte des achtzehnten Jahrhunderts.“

„Herr Baron“, erwiderte die Gräfin, „wir leben heute in einer ganz und gar toten Zeit, die wir lebendig machen müssen. Wir müssen alles umkrempeln. Und nur Sie allein können zur Umkrempelung aller Dinge etwas Wesentliches beitragen.“

„Wollen Sie“, fragte der alte Herr, „nicht auch dazu beitragen? Ich allein werde es nicht können — etwas Wesentliches zu tun.“

„Wir müssen“, gab da die Gräfin leise zurück, „uns in ganz besonderer Art in Szene setzen. Ich habe eine Idee, Herr Baron. Aber — darf ich ganz offen sprechen?“

„Selbstverständlich“, erwiderte der alte Herr, „vor mir brauchen Sie doch keine Furcht zu haben. Ich bin doch alt genug.“

„In einer Zeit“, fuhr nun leise die Gräfin fort, „in der alles tot ist, bringen die Frauen am leichtesten Leben in die Bude.“

der Platz *square*

vorfahren *drive up*

entschuldigen Sie
gütigst *be good
enough to forgive me*

das Ministerium
ministry
zu tun haben *have
things to do*
öffentlich *public*
das Alter *age*
einst *at one time*

ganz und gar *completely*

umkrempeln *turn
upside down*
wesentlich *essential*
beitragen *contribute*

wesentlich *substantial*

zurückgeben *reply*

sich in Szene setzen
make oneself felt

Leben in die Bude
bringen (coll.) *make
things lively*

IV. Scheerbarts Münchhausen   109

die Meinung *opinion*

die Notwendigkeit
  necessity
die Aufgabe *task*
ablehnen *reject*
aus diesem Grunde *for
  this reason*

durchgehen *elope*

verwerten *turn to good
  account*
bestellen *order*

hiernach *hereupon*

völlig einverstanden *I am
  in complete agreement*

lebendig *lively*

die Ansicht *views*
zustimmen *agree with*
das Liebespaar *lovers*

sich lustig machen über
  make fun of
schöpferisch *creative*
überwinden *prevail over*

die Träne *tear*
sich befinden *be*
unglaublich *incredible*

geistig *intellectual*
aufgehen *be absorbed*

die Schmeichelei *flattery*

sachlich *objective*

vor allem *above all*
selbständig *independent*

„Die Frauen müssen heute immer wieder sagen: Mamaspielen oder Nichtmamaspielen — das ist jetzt die Frage. Es ist aber eine kindliche Meinung, daß das Mamaspielen eine Naturnotwendigkeit für die Frau sei. Es ist nicht die Aufgabe der Intelligenten. Ich lehne das Mamaspielen einfach ab. Aus diesem Grunde möchte ich mit Ihnen, Herr Baron, sehr gerne nächsten Montag — wie man so sagt — *durchgehen*. Das gibt einen brillanten Skandal, und diesen Skandal kann man im Interesse der Umkrempelung aller Dinge verwerten."

Die Gräfin bestellte Kognak.

Der Baron sagte, nachdem sie beide getrunken hatten: „Hiernach sage ich nicht: Durchgehen oder Nichtdurchgehen — das ist hier die Frage. Ich sage einfach: völlig einverstanden. Wir gehen nächsten Montag einfach durch. Was aber werden Mama und Papa sagen?"

„Der Papa", erwiderte Clarissa, „freut sich, wenn ich mich ein bißchen lebendig zeige. Und die Mama wird stets den Ansichten meines lieben Papas zustimmen."

„Nun wird man uns für ein Liebespaar halten", sagte der Baron.

„Darüber", versetzte Clarissa, „werden wir uns immer wieder lustig machen. Einzelne schöpferische Menschen müssen das sogenannte Naturleben überwinden lernen."

"Liebe Clarissa", sagte der Baron mit einer kleinen Träne im rechten Auge, „immer befand ich mich in meinem langen Leben auf der Jagd nach dem Unglaublichen. Für das Unglaubliche hielt ich immer eine Frau, die im geistigen Leben ganz und gar aufgeht. Und das Unglaubliche fand ich —".

„Schmeicheleien", erwiderte sie hastig und errötend. „Dasselbe könnte ich Ihnen ja auch sagen. Wir wollen immer sachlicher und immer weniger persönlich werden. Auf der Erde sollten doch vor allem selbständige schöpferische Lebewesen entstehen."

„Sehr fein!" bemerkte der Baron. „Wir dürfen aber nie

vergessen, daß die Weiterentwicklung der schöpferisch tätigen Menschen wichtiger ist als ihre Vollendung."

„Natürlich", sagte Clarissa, „der Schaffende soll sich immer weiter entwickeln und sich nicht auf seinen Lorbeeren ausruhen wollen."

Da lachte der Baron und sagte: „Darüber werden sich die Künstler nicht freuen, daß sie sich gar nicht ausruhen sollen. Aber was Sie sagten, gilt auch nur für diejenigen, die im höchsten Sinne Schaffende sind. Die Kleinen können schon mal ausruhen, damit sie den Großen nicht stören."

Dazu sagte die Gräfin: „*Den* Großen möchte ich nicht — die Großen wären mir lieber. Außerdem möchte ich dies alles für die Frauen fruchtbar machen, für die Frauen, die zu den Schaffenden emporsteigen wollen. Wollen wir in diesem Sinne umkrempeln, so müssen wir durch unsere freie Vereinigung, Herr Baron, Propaganda für unsere Anschauungen machen."

Der Baron erwiderte: „Vergessen wir aber nicht, daß das Umkrempeln aller Dinge eigentlich die Aufgabe derer ist, die Schaffende im höchsten Sinne sein wollen."

„Nein, nein", rief die Gräfin. „Auch weniger weit entwickelte Lebewesen können umkrempeln."

Der Baron küßte jetzt der Gräfin die Hand und sagte feierlich: „Sie haben eigentlich recht. Ich fürchte nur, daß uns verschiedene Damen mißverstehen werden."

„Haben Sie vielleicht Angst?" sagte Clarissa. „Ich nicht. Wenn der Sache auch ein kleiner zynischer Beigeschmack gegeben wird — das schadet doch nichts. Wir wissen doch viel zu genau, daß wir uns auf dem richtigen Weg befinden. Machen wir doch Propaganda für diesen keuschen Zynismus."

„Clarissa, Sie sind mutig!" rief der Baron.

Aber Clarissa sagte lachend: „Sie haben mich zum ersten Mal mit meinem Vornamen genannt. Jetzt müssen Sie mich auch duzen. Darf ich's auch?"

die Weiterentwicklung.
  continuing development
die Vollendung
  perfection

entwickeln   *develop*
die Lorbeeren   *laurels*
ausruhen   *rest*

gelten   *apply to*

stören   *disturb*

lieber sein   *prefer*

fruchtbar   *fruitful*

empor   *up*

umkrempeln   *turn things upside down*
die Vereinigung   *union*

die Anschauung   *view*

die Aufgabe   *task*

entwickelt   *developed*

feierlich   *solemnly*

Angst haben   *be afraid*

zynisch   *cynical*
der Beigeschmack
  flavor
schaden   *hurt*

keusch   *chaste*

mutig   *courageous*

der Vorname   *first name*

duzen   *say „du" to*

schmunzeln *grin*

geladen *invited*

entgegen *towards*
gutmütig *good-naturedly*

rechtzeitig *in time*

offenbar *evident*
Brüderschaft trinken
  pledge using the first
  name and saying „du"

die Berühmtheit *famous*
  person
die Verlobungsanzeige
  announcement of an
  engagement

fabelhaft *fabulous*

die Blume *flower*

laß doch *no more about*

lieber *rather*

durchsetzen *put through*

das Dach *roof*
auseinandersetzen
  explain
gebildet *educated*
unten *down*
das Vergnügen *pleasure*
anlegen *build*
die Ausstattung
  general structure
empfehlen *recommend*
künstlich *artificial*

„Ja", sagte schmunzelnd der alte Münchhausen.
„Aber ich habe ja keinen Vornamen."

„So nenne ich dich Münch!" rief Clarissa.

Der Baron zahlte und fuhr dann gleich mit Clarissa
zum Wannsee hinaus.

In der Rabensteinschen Villa kamen die geladenen
Gäste am Donnerstag schon um fünf Uhr an, da sie alle zu
einem großen Diner geladen waren. Münchhausen kam
mit Clarissa erst fünf Minuten vor fünf Uhr an. Der alte
Graf Adolf vom Rabenstein kam den beiden lachend ent- 10
gegen und meinte gutmütig: „Ganz seltsam, Herr Baron,
daß Sie meine Tochter in der Stadt getroffen haben. Ich
freue mich nur, daß Sie rechtzeitig zum Essen gekommen
sind."

Als es nun offenbar wurde, daß sich die Gräfin Claris- 15
sa mit dem alten Münchhausen duzte, da trank der alte
Graf Adolf vom Rabenstein auch gleich Brüderschaft mit
dem Baron. Und die Gräfin Adolfine tat dasselbe. Die
Berliner Berühmtheiten staunten sehr und dachten, jetzt
würde gleich eine Verlobungsanzeige kommen; aber sie 20
kam nicht.

Da der Baron müde war, erzählte er Donnerstag
abend nur Weniges. Er sprach kurz von den fabelhaften
Metall- und Glasblumen, die überall in Australien zu
sehen sind. 25

„Münch", rief die Gräfin Clarissa. „Laß doch heute
die Melbourne-Ausstellung! Erzähle lieber, was du heute
im Ministerium für öffentliche Arbeiten gemacht hast!"

„Sehr einfach ist das zu erzählen", versetzte der
Baron. „Ich habe im Ministerium durchgesetzt, daß Berlin 30
eine neue Dacharchitektur erhält. Ich setzte den Herren
auseinander, daß ein künstlerisch gebildeter Mensch unten
in den Straßen nicht mit künstlerischem Vergnügen her-
umlaufen könne. Deshalb müßte man auf den Dächern
Berlins ein neues Berlin anlegen. Bei der Ausstattung der 35
Dachplätze empfahl ich die künstlichen Metallblumen,

von denen ich Ihnen erzählte. Die Herren vom Ministerium der öffentlichen Arbeiten waren sofort einverstanden.

einverstanden sein *agree*

Man wird auf den Dächern Berlins nicht nur Plätze an-
legen; man wird auch Straßen und Fußgängerwege an-

der Fußgängerweg
  sidewalk

legen. Das Ganze wird ein sogenanntes *Über-Berlin.*
Trinken wir alle auf das Wohl dieser Über-Stadt!"

das Wohl *health*

Alle tranken und waren ganz ernst.

Als aber der Baron lächelte, lächelten auch die Gäste.

lächeln *smile*

Und als der Baron lachte, da lachten alle.

Es wurde an diesem Donnerstag sehr spät. Als der
Baron endlich sagte: „Jetzt muß ich aber nach Berlin
fahren" — da war es drei Uhr morgens.

Der Freitag

Am Freitag kam der Baron kurz vor sieben Uhr abends in die Rabensteinsche Villa und sah frisch und vergnügt aus.

„Heute", sagte er, „erzähle ich Ihnen erst von den Luxuszügen, die ins Innere der Erde fahren — und zwar auf Gummirädern, die oben über dem Zuge angebracht waren. Man hörte kein Geräusch, während man bequem in einer Sofaecke saß und zum Fenster hinausblickte.

„Wir fuhren durch Glastunnels — auf dem Meeresboden — sieben- bis neuntausend Meter unter dem Meeresspiegel. Rechts und links sah man immer größere Fische und auch ungeheure Tiere, die so aussahen, als wären sie mit dem Meeresboden fest zusammengewachsen.

„Ein Professor, der in meinem Wagen neben mir saß, erklärte mir, daß einige der Tiere tatsächlich mit dem Meeresboden zusammengewachsen seien.

„ ‚Sie dürfen nicht vergessen', sagte er, ‚daß wir bisher von diesen Tiefseeformationen so gut wie gar nichts wußten. Von diesen angewachsenen Tieren hatten wir bisher gar keine Ahnung. Sie haben zweifellos Leiber, die tief ins Innere der Erde hineinreichen und haben mit der oberirdischen Tierwelt nichts mehr zu tun. Wir sind in Melbourne der Überzeugung, daß alles, was auf der Erdrinde lebt, Parasitennatur besitzt. Dagegen sind die großen angewachsenen Tiere der Tiefsee Lebewesen, die organisch zur Erde gehören und von dieser unzertrennlich sind, während wir die Erdrindenlebewesen sehr wohl von der Erde trennen können.'

---

der Luxuszug *de luxe train*
das Gummirad *rubber wheel*
anbringen *mount*
das Geräusch *noise*
bequem *comfortably*

der Meeresboden *bottom of the sea*
der Meeresspiegel *sea level*

ungeheuer *huge*

tatsächlich *actually*

bisher *up to now*

angewachsen *adhering*

die Ahnung *notion*
zweifellos *doubtless*
der Leib *body*
hineinreichen *extend*
oberirdisch *surface*

die Überzeugung *belief*
die Erdrinde *earth's crust*
dagegen *on the other hand*

unzertrennlich *inseparable*

„Wir fuhren durch einen Steintunnel, in dem nichts zu sehen war, und langten danach auf einer Station an, wo uns ein üppiges Diner erwartete.

„Nach dem Diner gingen wir auf die große Terrasse hinaus — mit der Zigarre im Munde.

„Dort auf der großen Terrasse war ein Anblick! Meine Damen und Herren, Sie können es mir glauben, ich bin nicht schreckhaft, aber mir fiel gleich die Zigarre aus der Hand.

„Ich stand in einer ungeheuer großen, weiten Höhle, an deren Wänden viele purpurrote Steine leuchteten — ganz hell leuchteten.

„Unten in der Mitte entdeckte ich den Kopf eines Ungetüms mit weißen Augen, in denen smaragdgrüne Pupillen funkelten — immerzu funkelten wie unzählige Diamanten.

„Mit leiser Stimme sprach der Führer unseres Zuges: ,Das Wesen, das Sie sehen, ist mit Vernunft begabt. Sie sehen in diesem Wesen eine Gottheit der Erde; wir wollten ihm einen Tempel erbauen, doch es schob die Hände unserer Arbeiter ganz sanft weg.'

„Wir fuhren mit unserem Zuge weiter — durch Höhlen und Tunnel immerfort. Ich unterhielt mich mit dem Professor, der ein geborener Melbourner war und immer in demselben Wagen mit mir fuhr.

„Er erzählte mir von einem amerikanischen Naturwissenschaftler, der gleich nach Entdeckung der großen Höhlen den Vorschlag gemacht hatte, die Riesenkörper wissenschaftlich zu untersuchen.

„ ,Wir lehnten das natürlich ab', sagte der Professor. ,Hier sind ganz andere Lebewesen. Hier ist eine ganz andere Lebenssphäre. Materialistische Untersuchungen führen zu nichts.' "

„Nach längerer Zeit kamen wir in eine Höhle, die an Größe alle bisher gesehenen Höhlen übertraf. Als wir ausstiegen, sahen wir über uns den großen Sternenhimmel, den wir auf der Erdoberfläche sehen.

anlangen *arrive*

üppig *sumptuous*
erwarten *await*

der Anblick *view*

schreckhaft *nervous*

purpurrot *scarlet*
leuchten *glow*
entdecken *discover*

das Ungetüm *monster*
smaragd- *emerald*
funkeln *sparkle*
unzählig *countless*

mit leiser Stimme *in a low voice*
der Führer *guide*
die Vernunft *intelligence*
begabt *endowed*
die Gottheit *deity*
erbauen *build*
schieben *push*

sich unterhalten *converse*

der Naturwissenschaftler *scientist*

der Vorschlag *suggestion*

wissenschaftlich *scientifically*
untersuchen *analyze*
ablehnen *refuse*

die Untersuchung *analysis*

die Größe *size*
übertreffen *exceed*

die Oberfläche *surface*

zunächst *first of all*	„‚Wir sind am Südpol!' sagte mein Professor ganz leise zu mir.
	„Ich sah zunächst zum Himmel empor, da ich so lange keinen Himmel über mir gesehen hatte. Am Himmel
die Scheibe *disc*	gerade über uns sah ich eine runde Scheibe.
	„‚Das ist', sagte mein Professor, der immer an meiner
der Kegel *cone*	Seite blieb, ‚der Südpolmond; er hat Kegelform. Wir sehen von hier aus in das Innere des Kegels hinein — so wie in
spitz *pointed*	einen spitzen Hut. Welchen Zweck dieser kleine Südpol-
der Zweck *purpose*	mond hat, wissen wir bisher nicht, da die teleskopischen
abschließen *conclude*	Untersuchungen noch nicht abgeschlossen sind.'"
	Nach diesen Worten stand der Baron Münchhausen
sich verbeugen *bow*	auf, verbeugte sich vor den Versammelten, die ganz still
die Versammelten *those gathered*	dasaßen, und ging hastig zur Tür hinaus.
	Als der alte Graf vom Rabenstein dem Baron folgte,
fort *gone*	war dieser schon fort; er fuhr in seinem Automobil- schlitten sehr schnell im Vollmondschein durch den
ostwärts *eastward*	Grunewald — ostwärts.

Der Sonnabend

Die Gräfin Clarissa ging am Sonnabend in ihrem Zimmer langsam auf und ab.

„Das ist mehr", sagte schließlich die Gräfin, „als ich erwartet habe. Jetzt habe ich beinahe Furcht. Ich bin nicht mehr so sicher wie vor acht Tagen. Der alte Herr hat zu viel erlebt. Und ich habe zu wenig erlebt. Das paßt nicht gut zusammen."

Sie blickte mit großen Augen zu dem Bilde des alten Münchhausen hinauf, der über dem großen Spiegel auf einer Kanonenkugel ritt.

Es war noch nicht zwölf Uhr.

Unten im Hause wurde es laut; die Gäste, die alle Tage erst des Abends ankamen, erschienen heute schon zum Frühstück.

Und der alte Münchhausen kam auch zum Frühstück.

„Clarissa", rief er, als er sie sah. „Du siehst so traurig aus. Man darf aber nicht traurig aussehen; das schickt sich nicht."

„Verzeih mir, lieber Münch!" erwiderte die Gräfin.

Der Baron aber sagte sehr lebhaft zur ganzen Gesellschaft:

„Meine Damen und Herren, wenn Sie meinen schlichten Erzählungen aufmerksam folgten, so werden Sie sich auch über die Musik, die in Melbourne komponiert wird, nicht mehr wundern. Man versucht dort nämlich so zu komponieren, daß der Zuhörer die Empfindung bekommt, Töne aus anderen fernen Geisterwelten zu hören; in Melbourne ist auch für die Musik das irdische Menschenleben

auf und ab   *up and down*

beinahe   *almost*
Furcht haben   *be afraid*
sicher   *sure*
acht Tage   *a week*
gut zusammenpassen   *go well together*

alle Tage   *every day*

traurig   *sad*

sich schicken   *be becoming*

verzeihen   *forgive*

lebhaft   *vivaciously*

schlicht   *modest*

aufmerksam   *attentively*

komponieren   *compose*

die Empfindung   *feeling*
der Ton   *sound*
die Geisterwelt   *world of spirits*
irdisch   *earthly*

nicht mehr ein führender Faktor. Die Musik soll zu einer Sprache fremder Welten gemacht werden. Leider kann ich Ihnen das nicht illustrieren, da ich Ihnen mit meinen alten Händen nichts vorspielen kann; die sind in den hundertundachtzig Jahren steif geworden. "

Natürlich bedauerten das alle sehr lebhaft, aber der alte Baron fuhr gleich darauf fort:

„Wir kommen nun zu einem sehr schwierigen Thema: zu dem literarischen. Daß die Melbourne-Literatur nicht mehr menschliche Zustände schildert, das brauche ich wohl nicht mehr auszusprechen; es versteht sich von selbst. Da sich die bildende Kunst fast ausschließlich dem Außerirdischen gewidmet hatte, so folgte die Literatur auch auf diesem Wege und schuf Werke, die das Leben auf anderen Sternen schildern. Aber die Literatur ging auch hier wieder weiter und führte uns die ‚lebenden' Sterne vor — nicht nur das, was auf und in den Sternen lebt. Die Sterne führen selbst ein eigenes Leben und stehen zu großen Sonnen in Beziehungen. Daß ein Stern ein totes, unorganisches Ding sein könnte — daran denkt niemand mehr.

„In der Literatur wie in der bildenden Kunst will man das Neue. Mit formalistischen Sachen hält man sich nicht viel auf. Es werden in Australien nicht viele Verse geschrieben, und die ästhetischen Erörterungen sind von robuster Kürze.

„Mir ist das robuste Vorgehen der Dichter sehr sympathisch. Einige Bildhauer meinen aber, man sollte in der Literatur bald vorsichtiger vorgehen.

„Na — ich glaube — die Vorsicht kommt mit dem Alter noch früh genug. Das Drauflosgehen ist in allen Dingen die Hauptsache, da ohne dieses alles stillsteht. Ja — das alte Stillstehen — ich kann es trotz meiner hundertundachtzig Jahre immer noch nicht begreifen. "

Nun redeten alle von der großen Bewegungslust unsrer Zeit und von dem Automobil im Leben der Menschen.

leider *unfortunately*

illustrieren *illustrate*

vorspielen *play for*

steif *stiff*

bedauern *regret*

schwierig *difficult*
das Thema *subject*

der Zustand *state of affairs*
aussprechen *express*
versteht... selbst *is self-evident*
die bildende Kunst *fine arts*
ausschließlich *exclusively*
widmen *devote*

vorführen *produce, present*

in Beziehungen stehen *have connections with*
unorganisch *inorganic*

formalistisch *formalistic*
sich aufhalten mit *dwell on*

ästhetisch *aesthetic*
die Erörterung *discussion*
die Kürze *brevity*
das Vorgehen *procedure*

sympathisch sein *appeal to*
vorsichtig *carefully*
vorgehen *proceed*
na *well*
die Vorsicht *caution*
das Drauflosgehen *opening up new fields*

begreifen *understand*

die Bewegungslust *desire for mobility*

„Wenn nur nicht", meinte die alte Gräfin Adolfine vom Rabenstein, „gerade das Automobil, das Symbol der Bewegungslust, in unsere geistige Bewegung einen Stillstand hineingebracht hätte."

geistig intellectual
die Bewegung mobility, drift

„Das ist doch nur für den Augenblick so", sagte Münchhausen. „In Australien gibt es schon eine neue geistige Beweglichkeit. Man könnte die allerfeinsten Beziehungen der Lebewesen untereinander schildern, sagte man sich. Man könnte die Beziehungen feinster geistiger Menschen untereinander reich und prickelnd darstellen.

die Beweglichkeit mobility
allerfeinst most delicate
die Beziehung relation

prickelnd stimulatingly
darstellen represent
nachgehen inquire into
daseiend already existing

„Nun ging man nicht den daseienden Menschen nach — sondern denen, die mal da sein könnten. Die Literatur mußte somit auch auf diesem Wege den Zusammenhang mit der Wirklichkeit aufgeben. Die Menschen der Melbourne-Literatur sind nur noch dem Äußeren nach sogenannte Menschen. Innerlich sind diese Menschen viel mehr als Menschen."

somit consequently

dem Äußeren nach from the external point of view

Hier sagte Clarissa: „Davon müssen wir jetzt aber mehr hören."

Der Baron lächelte und sprach weiter: „Was sich das einzelne Lebewesen selber geben kann, ist immer nur ein kleines Stück gegenüber dem, was sich schaffende Lebewesen untereinander geben können.

gegenüber compared to

„Die Literatur will nun zeigen, wie sich Schaffende günstig beeinflussen können. Zu dieser Beeinflussung ist ein Zusammenleben nicht nötig. Man erklärt sogar, das Zusammenleben wirke auf die Originalität der einzelnen störend. Andere sagen aber, das Zusammenleben kann auch förderlich wirken. Die Hauptsache bleibt, das alles an Beispielen zu zeigen. Und das ergibt die kompliziertesten Künstlerromane."

günstig favorably
beeinflussen influence
nötig necessary

störend wirken auf impair
förderlich wirken have a beneficial effect
ergeben lead to

„Nun möchte ich aber doch", rief die Clarissa, „ein kleines Bild von dem Zusammenleben und Zusammenwirken der schaffenden Geister haben. Du erzählst heute so trocken, Münch. Dürfte ich dich für ein paar Augenblicke allein sprechen? Vielleicht käme dann etwas mehr

wirken work

trocken dry

Leben in die interessante Geschichte vom Zusammenwirken und Zusammenleben."

Darauf gingen die beiden ins Liqueurzimmer.

Im Liqueurzimmer waren sie ganz allein, und Clarissa sagte hastig: „Münch, du hast vorhin gesagt, daß zwei schöpferische Menschen in Melbourne nicht zusammenleben — oder so ähnlich sprachst du. Willst du damit sagen, daß wir eigentlich vom nächsten Montag ab auch nicht zusammenleben können?"

„Sind wir", erwiderte darauf der alte Herr, „zwei schöpferische Naturen? Ich erzähle von Dingen, die ich erlebt habe. Denkst du denn, liebe Clarissa, ich hätte mir meine Ausstellungsgeschichten nur so zusammengedacht?"

„Nein! Nein!" rief Clarissa.

„Also", versetzte lächelnd der Baron, „bist du beruhigt? Alles wird arrangiert, wie wir es abgemacht haben, nicht wahr?"

„Ja! Ja!" rief Clarissa. Sie tranken schnell zwei Glas Chartreuse auf das Wohl des kommenden Montags.

Dann kehrten sie Arm in Arm zur Gesellschaft zurück, und der alte Herr fuhr fort: „Ein Hauptthema der Literatur bleibt das Zusammenkommen, Zusammenbleiben oder Voneinandergehen zweier oder mehrerer Schaffenden. Man zeigt dabei auch, wie sich Entwicklungstum und das Schöpferische oft feindselig gegenüberstehen und dann wieder freundlich Hand in Hand gehen. In Melbourne ist es den Künstlern durchaus nicht klar, daß der Schaffende wirklich eine selbständige Natur ist. Man nimmt allgemein an, daß andere Geistersphären die Entwicklung der Schaffenden leiten. Vielleicht ist das ganze Selbstbewußtsein des Schaffenden nur ein köstlicher Traum!"

„Aha", rief Clarissa, „du mußt uns mehr erzählen."

Die alte Gräfin sagte aber: „Lieber Münchhausen, es ist nicht richtig, daß du dich so anstrengst. Du wirst müde, und das kann man bei deinen hundertundachtzig Jahren ja verstehen."

---

das Liqueurzimmer *bar*

vorhin *before*

so ähnlich *something like that*

beruhigen *reassure*

abmachen *agree upon*

auf das Wohl *to the health and happiness*

das Voneinandergehen *parting*
das Entwicklungstum *power of development*
feindselig *hostile*

durchaus nicht *not at all*

annehmen *assume*

leiten *guide*
das Selbstbewußtsein *self-conceit*
köstlich *precious*

sich anstrengen *tax one's energies*

---

120 *Lügendichtung*

„Oho", erwiderte Münchhausen, „wenn ich ein wenig müde aussehe, so hat das einen natürlichen Grund. Was ich für selbstverständlich halte, kann ich nicht mit den glühenden Augen der Begeisterung erzählen. Seien Sie mir nicht böse, meine Damen und Herren! Aber nach dem, was ich in Australien erlebt habe, ist mir in Europa zumute, als ob ich in einer Kinderstube säße und Mädchen und Knaben lustige Märchen erzählte. Es lebe Melbourne!"

Beim Kaffee sagte der Baron später: „Meine liebe Clarissa wollte auch etwas von dem religiösen Element in der Literatur hören. Das ist sehr einfach gesagt. Man spricht niemals von einem *Allgott*; man erklärt, daß die Welt viel zu groß sei, um über das zu reden, was sie als Ganzes zusammenhält. Die Menschen haben aber das Bedürfnis, vor der Großartigkeit der Welt zu knien. Dies kann man in Tempeln, in denen man zuweilen wundervolle Musik hört. Priester im europäischen und asiatischen Sinn gibt es nicht. Das Heiligste, was man empfinden kann, findet man in der Literatur. *Eine Religion des großen Schweigens* haben wir in Melbourne. Wenn davon auch vieles in die Literatur übergeht, so wird das Schweigen nicht zum Geschwätz."

Nach einigen Minuten des Schweigens in der Villa sagte der Graf: „Wir wollen aber nicht den ganzen Abend schweigen. Ich erkläre, daß meine Villa kein Melbourne-Tempel ist."

Da lächelte der Baron, und da lächelten auch die Gäste des alten Grafen.

Man sprach weiter, aber es wurde kein richtiges Gespräch. Schließlich meinte Clarissa: „Münch, du hast uns nichts vom Theater erzählt."

„Richtig", sagte er, „auch diese Geschichte ist sehr einfach. Die Theaterkunst ist eine Kunst wie die anderen Künste. Die Szenerie kann aus einfachen drei Wänden bestehen, oder sie kann der Szenerie auf fernen Sternenwelten entsprechen. Man spielt nur vor einfachen Wänden oder

---

der Grund   *reason*

glühend   *glowing*
die Begeisterung
   enthusiasm

zumute sein   *feel*

die Kinderstube   *nursery*
das Märchen   *fairy tale*
es lebe   *long live*

der Allgott   *(pantheistic)
   God of the Universe*

das Bedürfnis   *need*
die Großartigkeit
   grandeur
knien   *kneel*
zuweilen   *sometimes*
der Priester   *clergyman*
heilig   *holy, sacred*
empfinden   *experience*

das Schweigen   *silence*

das Geschwätz   *empty
   talk*

richtig   *real*
das Gespräch
   conversation

bestehen aus   *consist of*

entsprechen   *conform to*

vor vollen Landschaften, die wie Panoramen rechts und links und nach oben und mitunter auch nach unten weitergehen. Der sogenannte Bühnenboden fehlt sehr oft, da in sehr vielen Stücken nur schwebende Gestalten erscheinen.

der Bühnenboden *stage floor*
fehlen *be missing*
schweben *float*

„Aber heute muß ich früher nach Berlin. Es ist zwar erst sieben Uhr — doch ich kann nicht anders."

Der Baron küßte Clarissa die Hand, und dann fuhr er von dannen.

von dannen fahren *leave*

An diesem Sonnabend fuhr der Baron aber nicht auf seinen Schlittenschienen, sondern auf den Rädern, da Tauwetter war.

die Schiene *rail*
das Rad *wheel*
Tauwetter sein *be thawing*

Der Sonntag

„Erinnerungen", sagte sonntags der Baron, „haben eine seltsame Eigenschaft. Sie teilen unser Ich, so daß man glaubt, ein anderer hätte das erlebt, was wir erlebt haben — und das Ich, das von unseren Erlebnissen erzählt, wäre ein ganz anderer Mensch. Man glaubt, wenn man eine ganze Woche alte Erinnerungen ausgekramt hat, plötzlich an die Doppelnatur des Menschen. Davon erzähle ich Ihnen nachher.

„Der Sonntag war in Melbourne der Tag der Maler. Der australische Maler macht aber nie die Natur nach. Schaffen heißt für den Australier: Neues schaffen! Man komponiert in Melbourne nicht nur in der Musik — man komponiert dort in *allen* Künsten."

„Sagen Sie mir", fragte eine alte Dame, „wie es nur möglich ist, daß man in Europa von all dieser großen Melbourne-Kunst keine Ahnung hatte?"

„Melbourne liegt", versetzte der alte Münchhausen ernst, „sehr weitab von Europa. Vergessen Sie nicht, daß die europäischen Journalisten nicht gerne so etwas Neues in ihren Zeitungen bringen, da sie ein großes Schamgefühl besitzen!"

„Wie meinen Sie das? Wie ist das zu verstehen?" riefen nun viele Stimmen.

„Sehr einfach", gab der Baron zurück, „die europäischen Journalisten schämen sich, daß sie nicht selbst dieses Künstlereldorado erfunden haben."

„Aber Münch", rief Clarissa, „das hört sich ja an, als wenn du die ganze Melbourne-Kunst ‚erfunden' hättest."

„Wie kannst du das bei meinen hundertundachtzig

---

seltsam *strange*
die Eigenschaft *quality*
teilen *split*

das Erlebnis *experience*

auskramen *make a parade of*
die Doppelnatur *dual nature*

der Maler *painter*
nachmachen *copy*
heißen *mean*

komponieren *compose*

die Ahnung *idea*

weitab *far away*

das Schamgefühl *sense of shame*

die Stimme *voice*

zurückgeben *reply*

sich schämen *be ashamed*

erfinden *make up*

sich anhören *sound*

versetzen *answer*

ärgerlich *annoyed*

sich ärgern *be annoyed*
die Tatsache *fact*

verzeihen *forgive*

die Wahrhaftigkeit
  truthfulness
zweifeln an *doubt*

böse *angry*

der Tonfall *intonation*
beachten *notice*

sich wischen *wipe*

die Träne *tear*

zu Tisch *to the dinner
  table*

der Gang *course*

sonderbar *strange*

sogenannt *so-called*

das Schlafwunder
  miracle of sleep
der Samt *velvet*

hypnotisieren *hypnotize*

wach werden *awake*

spalten *split*

derjenige *that one*

phantomhaft *phantom-
  like*

sich befinden *be*
unterirdisch *subterranean*
die Höhle *cave*

Jahren von mir denken", versetzte der alte Münchhausen ärgerlich. „Die Journalisten ‚erfinden' immer sehr gerne; ich aber bin kein Journalist. Die europäischen Journalisten müssen sich doch ärgern, wenn die veritablen Tatsachen von Melbourne alle Zeitungsgeschichten übertrumpfen." 5

„Verzeih mir, Münch! Verzeih mir, Münch!" rief die Gräfin. „Ich habe nicht an deiner Wahrhaftigkeit gezweifelt."

„Ich bin dir nie böse gewesen", sagte der alte Herr lachend. „Du hast den Tonfall meiner Worte nicht beachtet." 10

„Ach so", sagte Clarissa leise, wischte sich zwei Tränen aus ihren Augen und lächelte.

Man ging zu Tisch.

An diesem Sonntag gab es ein Diner von dreiund- 15 dreißig Gängen.

Als es für ein paar Augenblicke nach dem siebzehnten Gang still war, sagte Clarissa zu ihrem alten Herrn: „Münch, du wolltest noch etwas von der Doppelnatur des Menschen erzählen." 20

Da blickte der alte Herr lange in sein volles Glas, ohne zu trinken, und erzählte dann das, was jetzt folgt:

„Es war ein sehr sonderbarer Sonntag. Im Laufe des Tages sagte mir ein Inspektor, ich könne das sogenannte Schlafwunder kennenlernen. In einem kleinen Zimmer, in 25 dem alles mit schwarzem Samt bedeckt war, wurde ich hypnotisiert.

„Als ich wieder wach wurde, sagte ein Herr: ‚Sie sehen dort auf dem Diwan einen alten Mann schlafen. Das sind Sie selbst. Es ist uns gelungen, Ihre Natur zu spalten. 30 Derjenige, der jetzt wach ist, ist die andere Hälfte Ihres Ichs, die phantomhaft leicht ist und als solche eine Reise durch den Kosmos machen kann.'"

„Man führte mich in einen Raum, in dem sich der Professor befand, der schon in den unterirdischen Höhlen 35 immer an meiner Seite war.

„ ‚Wir fahren heute', sagte der Professor, ‚zwanzig Millionen Meilen durch den Weltenraum — zur Sonne und dann um die Sonne herum — und dann durch die Sonne hindurch und wieder zurück.'"

⁵   „Er sagte, ich solle mich auf den Rücken legen. Ich tat, wie er sagte. Da zogen sich rechts und links die Gardinen von den Seitenwänden zurück — und ich sah — in den großen Sternenraum.

„Ich vergaß mein anderes Ich, das in Melbourne ¹⁰ ruhig schlief, und blickte hinunter in die große mächtige Sternenwelt. Noch nie hatte ich Sterne so tief *unter* mir gesehen.

„ ‚Mein anderes Ich schläft auch in Melbourne', sagte der Professor.

¹⁵   „ ‚Was gehen uns unsere zweiten Ichs an?' sagte ich zu dem Professor. ‚Machen wir die Augen auf und sehen wir, was wir sehen können.'

„Wir fuhren an der Venus vorbei, am Merkur.

„Bald danach fuhren wir in die Corona der Sonne ²⁰ hinein. Riesige Gebilde schossen an den Fenstern vorbei.

„ ‚Das sind Strahlenprotuberanzen der Sonne', sagte der Professor.

„Wir fuhren durch einen ganzen Protuberanzenwald hindurch. Die riesigen Leiber hatten mitunter Bildungen, ²⁵ die man wohl als Köpfe bezeichnen könnte.

„Als wir durch die Sonne hindurchflogen, sahen wir im Innern eines großen Raumes große Planeten herumschweben. Der Professor, der diese Gegenden zu kennen schien, sagte mir: ‚Planeten kommen ins Innere der Sonne ³⁰ hinein und leben dort weiter. Alle Planeten sind übrigens Lebewesen, die mit höchster Vernunft begabt sind.'

„Ich bedauerte, daß ich kein Fernrohr bei mir hatte und dachte darüber nach, warum wohl diese Planeten im Innern der Sonne lebten, ob sie für immer hier lebten, ob ³⁵ sie ganz mit der Sonne ein Wesen geworden seien.

„Als ich darüber mit meinem Professor sprach, sagte

Glossary (right margin):

der Weltenraum *space*

um... herum *all around*
durch... hindurch *right through*
sich zurückziehen *be drawn back*

die Gardine *curtain*

die Seitenwand *sidewall*

der Sternenraum *celestial space*

was gehen uns...: an *what do we care about*
aufmachen *open*

an... vorbei *past*

in... hinein *into*

riesig *huge*
das Gebilde *formation*
die Strahlenprotuberanz *ray-protuberance*

der Leib *body*
die Bildung *formation*
bezeichnen *characterize*

schweben *float*

die Gegend *area*

übrigens *by the way*

die Vernunft *intelligence*
begabt *endowed*
bedauern *regret*
das Fernrohr *telescope*

das Geheimnis *mystery*	
Gesellschafts- *social*	
der Faden *thread*	
verbinden *connect*	
bilden *form*	
das Gewebe *web*	
einschlafen *fall asleep*	
wildes Zeug *nonsense*	
an der Kehle packen	
grab by the throat	
losschlagen auf *beat on*	
der Samt *velvet*	
rennen *run*	
umrennen *knock over*	
das Ufer *shore*	
das Abendbrot *supper*	
die Bratwurst *fried*	
sausage	
Münchner *Munich*	

er: ‚Das größte Geheimnis unserer Welt ist das Gesellschaftsleben der Lebewesen untereinander. Die unzähligen Fäden, die die Sterne und die Bewohner der Sterne miteinander verbinden, bilden ein kompliziertes Gewebe. Unser Geist kann das alles noch nicht begreifen.'

„Ich schwieg nun, schlief dann plötzlich ein und träumte wildes Zeug. Protuberanzen packten mich an der Kehle, und ich schlug auf sie los.

„Da erwachte ich und sah, daß ich auf dem Diwan in dem schwarzen Samtzimmer lag. Ich sprang auf, rannte hinaus und hätte meinen Professor beinahe umgerannt.

„Der Professor brachte mich zum Ufer des großen Sees und wir ließen uns ein Abendbrot bringen. Bratwürste aß ich, und Münchner Bier trank ich dazu.

„Ich mußte versprechen, solange ich auf dem Ausstellungsterrain blieb, nichts von dem großen Schlafwunder zu erzählen.

„Aber jetzt in Deutschland darf ich davon erzählen. Ich freue mich, meine Damen und Herren, daß ich Ihnen so viel davon erzählen durfte."

Man brachte dem Baron stürmische Ovationen.

stürmisch *tempestuous*

Zur Gräfin Clarissa sagte er beim dreiunddreißigsten Gang ganz leise, daß niemand es hören konnte: „Morgen nachmittag um fünf Uhr bist du im Café Josty, nicht wahr?"

„Ja!" sagte die Gräfin.

Nach dem Diner sagte der Baron zum alten Grafen Adolf vom Rabenstein: „Könntest du mich morgen vormittag um zwölf Uhr in meinem Hotel besuchen?"

„Ja!" sagte der Graf.

davonfahren *leave*

Erst nach zwölf Uhr fuhr der Baron nachts wieder davon. Vor dem Schlafengehen schrieb er in seinem Hotel noch einen Brief an die alte Gräfin Adolfine vom Rabenstein.

126   Lügendichtung

Das Nachspiel

Am nächsten Montag war der Graf Adolf vom Rabenstein pünktlich um zwölf Uhr vormittags in Münchhausens Hotel.

Münchhausen kam dem Grafen im Lesezimmer des Hotels lachend entgegen und sagte: „Adolf, weißt du, warum ich heute noch mal mit dir sprechen wollte?"

„Nein!" versetzte der Graf.

„Ich wollte", fuhr nun der alte Münchhausen lebhaft fort, „heute nachmittag mit deiner Tochter ‚durchgehen' und — und wollte mit dir noch darüber sprechen!"

„Welche Umstände!" rief der Graf lachend, „denkst du, ich werde meiner Tochter hinderlich in den Weg treten? Lieber Münch, es tut mir doch sehr leid, daß du mich für einen alten Komödienvater gehalten hast."

Da sagte der Baron: „Adolf, laß dich umarmen!"

Und sie umarmten sich.

Als das Lesezimmermädchen diese Umarmung sah, flüsterte sie mit großen Augen: „Diese alten Herren!"

Als diese das hörten, lachten sie aus vollem Halse.

„Was denkst du denn", fragte der Baron den Grafen, „über eine Heirat? Würdest du etwas dagegen haben, wenn wir uns — das heißt, Clarissa und ich — wenn wir uns im Jahre 1919 verloben würden?"

„Ja", erwiderte Adolf, „wenn du mir versprichst, im Jahre 1991 Hochzeit zu machen — dann bin ich einverstanden."

Und dann war das, was der eine sagte, immer das, was der andere auch sagen wollte.

IV. Scheerbarts Münchhausen   127

Marginal glossary:

das Nachspiel *sequel*

pünktlich *punctually*

entgegen *towards*

fortfahren *continue*
lebhaft *briskly*
durchgehen *run off, elope*

der Umstand *formality*

hinderlich in den Weg treten *get in one's way*
es... leid *I am very sorry*
die Komödie *comedy*

laß dich umarmen *let me embrace you*

die Umarmung *hugging, embrace*
flüstern *whisper*

aus vollem Halse *heartily*

die Heirat *marriage*

das heißt *that is*

sich verloben *become engaged*

Hochzeit machen *get married*
einverstanden sein *agree*

nochmals *again*

der Bahnhof *station*

aussteigen *get out*

die Gattin *wife*

das Schreiben *letter*
gelangen *get*

das Erstaunen *astonishment*

zweifellos *doubtless*

Recht geben *agree with*

gering *slight*
der Wert *value*

Effekt machen *have an effect*
skandalös *scandalous, shocking*

die Grundmauer *foundation (wall)*
ordentlich *real*
der Knacks *crack*
beibringen *inflict on*

an... kommen *become public knowledge*

sich zu Tode ärgern *be shocked to death*
grüßen *send regards to*
küssen *kiss*
das Diesseits *this world*
das Jenseits *beyond*

ebenfalls *likewise*

Schließlich umarmten sich die beiden nochmals und fuhren darauf in Münchhausens Automobil zum Bahnhof.

Hier stieg der Graf aus, und Münchhausen gab ihm den Brief an Gräfin Adolfine.

Der Baron fuhr zu Josty und kam dort um fünf Uhr nachmittags an.

Der Graf Adolf öffnete den Brief an seine Gattin und las:

Liebe Adolfine!

Wenn dieses Schreiben in Deine Hände gelangt, so wird Dir schon bekannt sein, daß ich mit Deiner Tochter „durchgehe". Du wirst natürlich mit Erstaunen fragen: Warum geht der Baron nicht mit mir durch? Für den Baron bin ich doch nicht zu alt — während meine Tochter zweifellos zu jung für ihn ist. Wenn Du so sprächest, liebe Adolfine, so müßte ich Dir wohl recht geben. Ich müßte Dir aber auch erklären, daß es nicht den geringsten Wert hätte, wenn ich mit Dir durchginge. Das würde doch keinen Effekt machen. Wenn ich aber mit Deiner Tochter durchgehe, so wirkt das *skandalös* — und das Skandalöse macht Effekt. Wir hoffen, durch unser skandalöses Durchgehen den Grundmauern des europäischen Gesellschaftslebens einen ordentlichen Knacks beizubringen. Tu bitte, was Du kannst, daß unser Durchgehen an die Öffenlichkeit kommt, damit sich alle diejenigen, die die hohe Melbourne-Kunst niemals begreifen werden, sich recht bald zu Tode ärgern.

Ich grüße Dich und küsse Deine beiden alten Hände und bin im Diesseits und im Jenseits für immer

Dein alter *Münchhausen*

Die Gräfin Clarissa saß um fünf Uhr schon bei Josty und trank ein Bier.

Der Baron tat das, als er angekommen war, gleich ebenfalls.

Und dann fuhren die beiden zum Bahnhof und lösten zwei Karten nach Wien.

Fünf Minuten vor Abfahrt des Zuges kam der alte Graf Adolf vom Rabenstein auf den Bahnhof und rief seiner
5 Tochter lachend zu: „Liebe Clarissa, du hättest mir doch sagen können, daß du heute mit dem Baron durchgehen willst. Hast du denn gar kein Vertrauen zu deinem Vater?"

Clarissa entschuldigte sich, empfing von ihrem guten Vater hundert Tausendmarkscheine und sagte: „Glück-
10 lich ist die Tochter, die in diesen stumpfsinnigen Zeiten einen guten Vater hat."

Plötzlich rief Clarissa aber heftig: „Münch, du scheinst uns verraten zu haben. Wie kommt es, daß mein Vater von unserer Abfahrt weiß?"

15 Münchhausen lachte und sagte: „Du sagtest doch, daß dein Vater mit allem, was du tust, einverstanden ist. War das gelogen? Alles kann ich vertragen — nur das Lügen nicht!"

„Ich bitte dich um Verzeihung", stotterte Clarissa,
20 „ich nehme alles zurück."

„Ich aber", rief nun die alte Gräfin Adolfine vom Rabenstein, die jetzt auch plötzlich erschien, „nehme meine Tochter unter keinen Umständen mehr zurück. Münchhausen, du kannst meine Tochter behalten für alle
25 Zeiten. Ich freue mich, daß meine Tochter endlich *ihren* Mann gefunden hat."

„Einen alten Herrn", rief nun die Tochter heftig, „der nicht mehr und nicht weniger als einhundertundachtzig Jahre alt ist, nennst du meinen Mann?"

30 Da lachten die Bahnbeamten und baten die Reisenden einzusteigen.

Im Fenster des Abteils sagte Clarissa zu ihren Eltern: „Papa und Mama, ihr dürft von uns lauter schlechte Ge-schichten erzählen, aber daß wir, Münch und ich, ein
35 Liebespaar sind, das dürft ihr nicht sagen. Das wäre zu lächerlich."

Karten lösen *buy tickets*

die Abfahrt *departure*

Vertrauen zu *confidence in*
sich entschuldigen *apologize*
empfangen *get*
der Schein *bill*
glücklich *lucky*
stumpfsinnig *stupid, dull*

heftig *passionately*

verraten *betray*

die Abfahrt *leaving*

gelogen *a lie*
vertragen *stand*

um Verzeihung bitten *ask forgiveness*

der Umstand *circumstance*
behalten *keep*

der Bahnbeamte *railway official*
einsteigen *get aboard*

das Abteil *compartment*
lauter *nothing but*

das Liebespaar *lovers*
lächerlich *ridiculous*

der Zug   *train*

bemerken   *notice*

anstößig   *shocking*

ebenso   *the same thing*

beistimmen   *concur with*
vorkommen   *seem*
schrecklich   *terribly*

schwer fallen   *be difficult*
der Stenograph   *stenographer*
engagieren   *engage*

minimal   *minute*
die Verzweiflung   *despair*

der Revolutionär   *revolutionary*
uns... lassen   *have us locked up*

na   *well*

entzückend   *delightful*

der Ernst   *seriousness*

rühren   *touch, move*

mit der Zeit   *in time*
pflücken   *pick*

Da stiegen Adolf und Adolfine in den Wagen, und umarmten ihre Tochter und den Baron. Als sie wieder ausstiegen, fuhr der Zug mit Münchhausen und Clarissa nach Wien.

Clarissa war in Wien erstaunt, als sie bemerkte, daß es niemand anstößig fand, wenn sie sagte, daß sie mit dem alten Baron Münchhausen „durchgegangen" sei.

„Das hätten wir ebenso gemacht!" sagten alle Damen. Alle Herren stimmten dem immer bei und fanden gar nichts an der Sache. Es kam ihnen allen so schrecklich natürlich vor.

Darüber war die Clarissa sehr traurig.

Clarissa erzählte aber überall alles das, was sie vom Baron gehört hatte. Das fiel ihr nicht schwer, da sie einen Stenographen für die Baronswoche engagiert hatte.

Das Verständnis für die Melbourne-Kunst war aber so miminal, daß sie voll Verzweiflung war.

„Es ist immer besser", sagte Münchhausen, „daß uns die Leute ‚gar nicht' verstehen. Wie leicht könnten sie uns ‚mißverstehen' und uns für politische Revolutionäre halten und uns ins Gefängnis sperren lassen."

„Wäre das möglich?" fragte Clarissa.

„Na, natürlich", versetzte der Baron.

Nun fuhren die beiden von Stadt zu Stadt und von Land zu Land, und überall erklärte Clarissa die köstliche Melbourne-Kunst.

Aber selbst die Künstler sagten: „Wir möchten das so gerne entzückend finden. Aber wir verstehen es doch nicht. Das geht uns zu weit. Wie gerne würden wir es begreifen wollen, wenn wir es nur könnten!"

Das sagten sie alle mit solchem Ernst, daß Münchhausen ganz gerührt wurde und schließlich überall erklärte:

„Na, seid nur still! Mit der Zeit pflückt man Rosen! **Wenn ihr** älter werdet, dann werdet ihr die ‚neue Kunst' **schon** begreifen. Seid nur still! Vielleicht werdet ihr noch

hundertundachtzig Jahre alt — dann habt ihr die neue
Kunst ganz bestimmt begriffen!"

    Münchhausen hielt sich mit seiner Clarissa überall
nicht lange auf — er fuhr immer sehr bald weiter — immer
5 weiter — weiter —.

ganz bestimmt   *without a doubt*
sich aufhalten   *stay*

V

Die Lügendichtung in der Weltliteratur

Die Lügendichtung in der Weltliteratur

Eines der ersten Beispiele für die Lügendichtung in der Weltliteratur ist die „Wahre Geschichte" des griechischen Schriftstellers Lukian (125–190). Der Titel der „Wahren Geschichte" ist ironisch, denn sie besteht aus
5 lauter Lügen. Neben einigen Kriegslügen sind es vor allem Reiselügen, die sich hier finden.

Lukian erzählt, wie er mit fünfzig Reisegefährten auf einem Schiff abfährt, um Abenteuer zu suchen und Entdeckungen zu machen. Zuerst kommen sie zu einer Insel,
10 wo sie die Fußspuren von zwei griechischen Göttern finden und Mädchen sehen, die als Weinreben aus der Erde wachsen. Dann trägt ein Sturm ihr Schiff auf den Mond empor. Vom Mond geht die Reise weiter zum Morgenstern und zur Phantasiestadt der Vögel, Wolkenkuckucks-
15 heim. Lukian wird mit dem Schiff und allen seinen Freunden von einem Meerungeheuer verschluckt. Später kommen sie zu den Inseln der Seligen und sprechen dort mit den Toten; endlich besuchen sie die Stadt der Träume und die Insel der Halbgöttin Kalypso. Die „Wahre Geschichte"
20 schließt mit der Lüge des Autors, die Fortsetzung der Abenteuer in einer weiteren, folgenden Geschichte zu erzählen.

Die klassische Lügengeschichte des Lukian zeigt vor allem zwei Dinge: erstens sind hier bestimmte Motive und Grundtypen der Aufschneiderei gesammelt, die sich in der
25 späteren Weltliteratur wiederfinden. Zweitens wird durch das Nicht-Ernst-Nehmen deutlich, daß Lukians Art von Lügendichtung einer „aufgeklärten" Stufe der Entwicklung einer Literatur angehört.

bestehen aus *consist of*

lauter *nothing but*
vor allem *above all*

der Reisegefährte *fellow traveler*

die Fußspur *footprint*

die Weinrebe *grapevine*

Wolkenkuckucksheim *Cloud-Cuckoo-Land, castles in the air*

das Meerungeheuer *sea monster*
verschlucken *swallow*
die Seligen (pl.) *the blessed*

die Fortsetzung *continuation*

Grund- *fundamental*

aufgeklärt *enlightened*
die Stufe *stage*
angehören *belong to*

darunter *among them*

erinnern *remind one*
Odysseus *Ulysses*
das Reich *realm*

Wenn Lukian mit seinen Freunden auf den Inseln der
Seligen mit den Toten spricht, darunter auch mit Homer,
so erinnert die Episode an den Besuch von Homers Odysseus im Reich der Toten. Bei Homer, der im neunten Jahrhundert vor Christus lebte, lacht man aber nicht über die
Geschichten, wie man es bei Lukian tut. Auch die Jagdgeschichten Nimrods, dessen Namen das Alte Testament

1. Mose *Genesis*
gewaltig *mighty*

das Gegenstück
counterpart

Indien *India*

rebellisch *rebellious*
der Affe *monkey*

nennt, — 1. Mose 10, 9: „ein gewaltiger Jäger vor dem
Herrn" — wurden nicht belacht, sondern ernst genommen.
Als Gegenstück im Orient wurde die dort sehr populäre
Geschichte der phantastischen und abenteuerlichen Reise
nach Indien, von welcher der chinesische Roman „Der
rebellische Affe"[1] von Wu Ch'êng-ên (1500–1580) berich-
tet, ernst genommen.

mythisch *mythical*

wörtlich *literally*

mythisiert *mythicized*

Es gab Zeiten und Entwicklungsphasen, wo das
Mythische noch Realität war und wo es in der Dichtung,
wenn nicht wörtlich, so doch symbolisch ernst genommen
wurde. Die übermenschlichen Helden dieser Stufe sind
mythisierte und tragische Heroen.

die Aufklärung
enlightenment
vorherrschen *prevail*
einst *former days*

die Ausgeburt *offspring*

die Fabulierlust *pleasure
in inventing stories*
die Vorstellung *idea*

Es gab Zeiten und Entwicklungsphasen, wo Rationa-
lismus und Aufklärung vorherrschten. Hier wurden die
tragischen Helden von einst zu komischen Figuren von
jetzt. Die Dichtungen über ihre wunderbaren Abenteuer
wurden zu bewußten Lügengeschichten und zu Ausgebur-
ten heiterer Fabulierlust. So wurden die mythischen,
magischen und religiösen Vorstellungen der vorhomeri-
schen Zeit in den Tagen Lukians allen Sinns und aller

entkleiden *divest of*
sophistisch *sophistical*
der Zug *procession*

die Torheit *foolishness*
aus... heraus *from*
das Anziehende
attractive feature

der Inhalt *content*
der Umstand *fact*

Wahrheit entkleidet. Für den sophistischen Lukian waren
die alten Bilder nichts als ein Karnevalszug menschlicher
Phantasie und Torheit. Aus dieser Perspektive heraus sagte
er auch am Beginn seiner „Wahren Geschichte", das Anziehende seiner Erzählung liege nicht allein am abenteuerlichen Inhalt und am Umstand, daß er Lügengeschichten

---

[1] Der Roman wurde von Arthur Waley ins Englische übersetzt: „Monkey".
Folk Novel of China. New York, The Grove Press, 1943.

auftische. Das Anziehende liegt vor allem daran, meint
Lukian, daß jede dieser Geschichten „Anspielungen auf
den oder jenen unter den alten Dichtern, Geschichts-
schreibern oder Philosophen enthält, die eine Unmenge
5 solcher Wundermären... zusammengeschrieben haben."
Die Wirkung der „Wahren Geschichte" liegt aber nicht
nur in der Anspielung, die jeder Gebildete jener Zeit verstand; die Wirkung liegt noch tiefer als Lukian selbst es sah.
Denn sogar in der verdünnten Form der Parodie wirkt die
10 Kraft des parodierten Inhalts und mythischen Bildes nach.

Das Auftauchen gleicher Motive der Lügendichtung
an vielen Stellen der Weltliteratur hängt teilweise mit dem
Nachwirken jener alten ursprünglichen Kraft der später
parodierten Dichtung zusammen. Die Dichter anerkennen
15 kaum die ernste Kraft der alten mythischen Bilder und
Symbole, aber indem sie sich darüber lustig machen, verwenden sie eben diese Kraft und beziehen sie in ihre eigene
Dichtung mit ein.

Von den mythischen Ursprüngen her ist das Motiv
20 der Fahrt zu den Inseln der Seligen oder zur Insel der
Toten mit dem Motiv der Fahrt zum Mond eng verwandt.
Der Mond spielt überhaupt in der Geschichte religiöser
und mythischer Vorstellungen eine große Rolle. In einer
der größten Dichtungen der Weltliteratur, in den indischen
25 Upanischaden (1000 vor Christus) wird die Geburt des
Menschen nicht als einmalige Zeugung gesehen; das Leben
des Menschen war nach dieser Meinung eine Rückkehr der
Seele vom Mond. In einem Dialog des Plutarch (46–120)
ist der Mond „der Friedhof der Seelen." Oft sprach man
30 zur Zeit der alten Griechen davon, daß der Mond ein
eigener Kosmos mit eigenem Leben und eigenen Menschen sei.

In der europäischen Literatur der Neuzeit läßt Rabe-
lais (1495–1553) seinen Romanhelden Pantagruel auf den
35 Mond reisen. Auch Cyrano von Bergerac (1619–1655)
erzählt die Geschichte einer Mondreise in seiner „Kosmi-

auftischen *serve up*
liegen an *depend on*
die Anspielung *allusion*

der Geschichtsschreiber
    historian
die Unmenge *vast
    number*
die Wundermäre
    fantastic story
die Wirkung *impression
    produced*
der Gebildete *educated
    person*

verdünnt *diluted*
nachwirken *produce an
    aftereffect*
die Kraft *force*
das Auftauchen
    emergence
teilweise *partly*

das Nachwirken
    aftereffect
ursprünglich *original*
anerkennen *acknowledge*

indem... machen *by
    ridiculing them*
verwenden *make use of*
mit einbeziehen *draw
    into*

der Ursprung *origin*

eng verwandt *closely
    related*

die Vorstellung *idea*

einmalig *happening only
    once*
die Zeugung *creation,
    begetting*
die Seele *soul*

der Friedhof *cemetery*

die Neuzeit *modern times*

kosmisch *cosmic*

schen Geschichte der Staaten von Mond und Sonne." Ein
Jahr vor Erscheinen des Münchhausen-Buches von A. G. F.
Rebmann, im Jahre 1794, kam sein „Hans Kiekindiewelts
Reise in alle vier Weltteile und den Mond" heraus.

Die meisten Motive und Anekdoten der Lügendich- 5
tung sind international. Manche stehen in den Geschichten
des jüdischen Talmud (1. bis 7. Jahrhundert) und in
christlichen Legenden, bei Plutarch und in „Tausendund-
eine Nacht" mit dem abenteuerlichen Seefahrer Sindbad.
Die Grenzen sind oft schwer zu ziehen. Wo beginnt der 10
dichterische Ernst? Wo endet die heitere Lügengeschichte?

Die Akzente verschieben sich. Nach Lukian gab es
Reiselügen in den „Äthiopischen Reisen" des griechischen
Schriftstellers Heliodor (3. Jahrhundert), und seit jener
Zeit erscheinen sie in den verschiedensten Formen: von 15
den deutschen Herzog Ernst-Geschichten (12. Jahrhundert) bis Gulliver, von den Jenseitsfahrten christlicher Ritter bis zur modernen Form der „science fiction".

Fast ebenso groß und verschiedenartig ist die Zahl der
Dichtungen von Kriegslügen. Bekannt ist der Miles glo- 20
riosus des römischen Dichters Plautus (254–184 vor
Christus). In der ersten Reihe aufschneidender Kriegs-
helden der Weltliteratur stehen neben dem Miles gloriosus
der edle spanische Ritter von der Mancha Don Quijote des
Cervantes (1547–1616) und Shakespeares dicker Säufer 25
und Aufschneider Sir John Falstaff. Aber das sind nur die
bekanntesten der Tapferen. Wollte man sie alle nennen, so
könnte man ganze Regimenter solcher Maulhelden aufstellen.

Manche dieser Helden sammeln so viele Anekdoten 30
auf ihre Person, daß sie wie Münchhausen oder Don
Quijote in der Vorstellung des Volkes wirkliches Leben
gewinnen und allgemein bekannt sind. Ein bilderreiches
Beispiel dafür ist der im Westen weniger bekannte Ungar
Háry János, der in seinem Heimatland das Gegenstück zu 35
Münchhausen im deutschen Sprachraum ist.

138   *Lügendichtung*

---

jüdisch   *Jewish*

der Akzent   *stress*
sich verschieben   *shift*

der Herzog   *duke*

das Jenseits   *beyond*
der Ritter   *knight*

verschiedenartig
   variegated
Miles gloriosus   *boastful
   soldier*
römisch   *Roman*

die Reihe   *row*

edel   *noble*

der Säufer   *toper,
   drinker*

tapfer   *brave*

der Maulheld   *braggart*
aufstellen   *draw up*

bilderreich   *picturesque*

der Ungar   *Hungarian*

der Sprachraum
   language area

Der Háry János des Schriftstellers Garay János (1812–
1853) — im Ungarischen schreibt man den Familien-
namen vor dem Vornamen — erzählt als Veteran in seinem
Dorf all die Lügengeschichten, die er als Husar erlebt
5 haben will. Sogar daß er Husar war, ist eine Lüge. In
Wahrheit war er ein einfacher Infanterist gewesen. Eine
seiner schönsten Geschichten ist die, wie er Napoleon ge-
fangennahm. Der Kaiser bittet ihn um sein Leben, und
Háry János will ihn gefesselt zum Hauptmann bringen.
10 Doch da begegnet den beiden ein reich geschmückter
Wagen mit einer schönen Frau. Sie gibt sich zu erkennen.
Es ist Marie Louise, die Tochter von Háry János' eigenem
Kaiser, dem Kaiser Franz von Österreich. Sie blickt dem
Helden Háry János tief in die Augen. Sie verspricht ihm,
15 Napoleon zu heiraten und bis in den Tod zu lieben, wenn
er ihn frei läßt. Háry János ruft aus, daß ein wahrer Held
für eine schöne Frau in die Hölle geht und gibt Napoleon
frei. In jede Hand bekommt er eine schöne goldene Uhr
von Marie Louise. Die eine Uhr schenkt er seinem Haupt-
20 mann, die zweite seinem Leutnant. Nun hat er keine Be-
weise mehr für die Wahrheit seiner Geschichte, aber seine
Zuhörer glauben ihm auch so.

Einzelne Motive der Lügendichtung kehren in der
Weltliteratur immer wieder. Das Motiv der eingefrorenen
25 Töne, das wir aus der deutschen Literatur kennen, findet
sich bereits beim altgriechischen Komödiendichter Anti-
phanes (405–479 vor Christus). Zur Zeit der Renaissance
taucht es in einer italienischen Geschichte auf. Um einge-
frorene Töne geht es auch beim englischen Autor Joseph
30 Addison; in der Geschichte von einer Nordmeerfahrt frieren für drei Wochen in eisiger Kälte alle Worte ein. Später
tauen sie auf und die Seefahrer hören, was sie alle in den
drei Wochen zu sprechen versucht haben.

Nicht nur in der europäischen Literatur finden sich
35 solche Verbindungen des Motiv- und Anekdotenschatzes
der Lügengeschichten. Eine im Orient bekannte Erzählung

der Husar *hussar (of the light cavalry)*

der Infanterist *infantryman*
gefangennehmen *capture*

gefesselt *in chains*
der Hauptmann *captain*
begegnen *come toward*
reich geschmückt *richly ornamented*
gibt... erkennen *reveals her identity*

ausrufen *exclaim*

die Hölle *hell*
freigeben *set free*

der Beweis *proof*

wiederkehren *recur*

bereits *already*

es geht um *the theme is that of*
das Nordmeer *Northern Seas*
eisig *icy*

auftauen *thaw*

die Verbindung *connection*
der -schatz *store*

V. Lügendichtung in der Weltliteratur   139

einen Wettstreit austragen
have a contest

die Flucht ergreifen *take
flight*
der Vorfall *incident*

die Maßlosigkeit
immoderateness
empört *indignant*
das Faß *barrel*
aussetzen *put out*

der Schatz *treasure*

die Nadel *needle*

Nupe und Haussa
*peoples—and languages
in Northern Nigeria*

entstehen *come into
being*
die Vermenschlichung
humanization

die Mythisierung
mythicizing

der Stoff *raw material*
die Besiedelung
settlement
der Aufstieg *rise*
die Landwirtschaft
agriculture
das Pelztier *fur-bearing
animal*
das Holzfällen
woodcutting
Verkehrs- *transportation*
die Urbarmachung
cultivating

ist die japanische Geschichte von „Ejikotaro". Dieser Ejikotaro ist ein kleiner Junge, der Sohn eines Mannes, welcher sich „der Meisterlügner von Japan" nennt. Als Ejikotaro einmal allein zu Hause war, kam „der Meister- lügner von China" und wollte einen Wettstreit im Lügen 5 mit Ejikotaros Vater austragen. Er erhielt von dem Jungen als Antwort aber so ungeheure Lügen, daß er die Flucht ergriff. Als Ejikotaro später den Vorfall seinem Vater er- zählte, war der Lügenmeister von Japan über die Maßlo- sigkeit seines Sohnes so empört, daß er ihn in ein Faß 10 stellte und auf dem Meer aussetzte. Ejikotaro wurde auf eine Insel mit Teufeln getrieben. Er stahl ihnen ihre Schätze: Schuhe, mit denen man über das Wasser laufen konnte, und eine Nadel, mit der man Tote zum Leben er- wecken konnte. Mit den gestohlenen Schuhen kehrte er 15 ans Land zurück, erweckte mit der Nadel die tote Tochter eines Edelmannes zum Leben und heiratete sie.

Bekannte Motive findet man auch in Afrika, wo es „Meisterlügner" gibt, die einen Wettstreit wirklich austra- gen. Es sind der Nupelügner und der Haussalügner. 20

Zu den schönsten Lügengeschichten gehören die so- genannten nordamerikanischen „Tall Tales". Viele euro- päische Lügenerzählungen entstanden durch die Ver- menschlichung, ja durch das Parodieren des Mythischen. Die meisten amerikanischen Lügengeschichten entstanden 25 dagegen durch Mythisierung des Menschlichen. Es ist aber eine Mythisierung, die sich nicht ernst nimmt und die ge- brochen wird durch Humor.

Den Stoff fand man in der Geschichte der Besiedelung des Kontinents und in dem schnellen Aufstieg von Land- 30 wirtschaft, Technik und Industrie in den Staaten Nord- amerikas. Das Cowboy-Leben in Texas, die Pelztierjagd im Westen und das Holzfällen im Osten, die Verkehrspro- bleme eines Kontinents, seine Urbarmachung und In- dustrialisierung — das ist der Hintergrund der „Tall 35 Tales".

140   Lügendichtung

Aus der historischen Entwicklung heraus formten die Menschen ihre eigenen Sagen. Mythische Züge sammeln sich um einzelne Helden, die immer märchenhafter in graue Vorzeit entschwinden; aus Lüge und Wahrheit,
5 Traum und Wirklichkeit entstand eine eigene Form der amerikanischen Lügengeschichte. Sie zeigt charakteristische Züge amerikanischen Lebens durch die Form des Humors ebenso wie durch die Frische und Vorurteilslosigkeit, welche die Menschen dieser Erzählungen kennzeich-
10 nen.

Durch übermenschliche Leistungen erheben sich die Helden der „Tall Tales" über ihre nicht übermenschliche Umwelt. Trotzdem sind sie Ausdruck der menschlichen Leistung in Amerika.

15 Durch ihre „Übermenschlichkeit" kommen die lachende Lüge und der trockene Humor in die Geschichten hinein. Dadurch, daß man bei diesem Rippenbrechen, Mühsal-Überwinden und bei dem Erreichen großartigster Ziele übertreibt und sich selbst nicht ernst nimmt, wird aus den
20 übermenschlichen Lügen Menschlichkeit des Humors.

In den amerikanischen „Tall Tales" finden sich wieder Motive aus der Lügendichtung der Weltliteratur. In einer der Geschichten von Paul Bunyan, Holzfäller und später „wissenschaftlicher Industrieller", taucht ein bekanntes
25 Motiv wieder auf: das Motiv der eingefrorenen Worte. Die Leute im nördlichen Minnesota benützten in einem strengen Winter die Kälte zu einem interessanten Experiment. Diejenigen, die in den Wald hinauszogen, wollten den Daheimgebliebenen die Neuigkeiten des Tages mitteilen. Sie
30 redeten vor sich hin und die Worte gefroren sofort. Die Leute sammelten die gefrorenen Worte ein, verpackten sie in braunes Papier und sandten sie nach Hause. Wenn die Familie hier das Päckchen öffnete, tauten die Worte auf, und man hörte das Neueste von draußen.

35 Ebenfalls in einer Geschichte von Paul Bunyan findet sich das Motiv, daß eine Pflanze in den Himmel wächst.

Glossar (Randspalte):

die Sage *legend*
der Zug *trait*
märchenhaft *legendary*

graue Vorzeit *remote times*
entschwinden *vanish*
eigen *specific*

die Vorurteilslosigkeit *freedom from prejudice*
kennzeichnen *characterize*

die Leistung *achievement*
sich erheben *rise*

die Umwelt *surroundings*

trocken *dry*

die Rippe *rib*
die Mühsal *trouble*
das Ziel *aim*

der Holzfäller *lumberman*
wissenschaftlich *scientific*
der Industrielle *industrialist*
benützen *make use of*
streng *severe*

die Daheimgebliebenen *those who stayed home*
die Neuigkeit *news*
mitteilen *tell*
vor sich hin *to oneself*

einsammeln *collect*
verpacken *wrap up*

das Päckchen *little package*
draußen *outside world*

ebenfalls *likewise, also*

der Mais	*corn*
klettern	*climb*
verschwinden	*disappear*
hinabgleiten	*glide down*
in die Höhe	*upward*
beschließen	*decide*
die Feuchtigkeit	*moisture*
abschnüren	*tie off from*
die Schiene	*rail*
zusammenbiegen	*bend*
knoten	*tie in a knot*
der Stengel	*stem*
abschneiden	*cut off*
der Schienengürtel	*belt of rails*
sich senken	*drop*
die Verschmelzung	*fusion*
der Zug	*respect*
sich unterscheiden	*differ*
umsonst	*for nothing*
sprengen	*go beyond, burst*
stranden	*run aground*
wird... verschlagen in	*is driven to*
gegen	*compared to*
der Schakal	*jackal*
die Peitsche	*whip*
die Klapperschlange	*rattlesnake*
fangen	*lasso*
die Achse	*axis*
steckenbleiben	*stick fast*
packen	*take hold of*

Bei Münchhausen in der Türkei war es eine Bohne, bei Paul Bunyan in den Vereinigten Staaten ist es Mais. Paul Bunyan klettert aber nicht selber hinauf, sondern läßt seinen Freund Ole hochklettern. Bald verschwindet Ole in den Wolken. Er kann nicht mehr zurück zur Erde, denn während er sich einen Meter hinabgleiten läßt, wächst die Maispflanze um drei Meter in die Höhe. Da beschließt der unten gebliebene Paul Bunyan, der Pflanze die Feuchtigkeit abzuschnüren. In seine große Hand nimmt er einige Eisenbahnschienen, biegt sie zusammen und knotet sie fest um den Stengel. Die Maispflanze wuchs noch immer weiter. Sie wurde aber nicht nur höher, sondern auch dicker. So schnitt sie sich selbst durch den Schienengürtel ab. Sie senkte sich und fiel. Ole sprang im letzten Augenblick ab.

Was Münchhausen bei der Jagd in Rußland erlebte, das erlebte Davy Crockett fast genauso bei der Jagd am Nolachucky. Mitunter findet man in den amerikanischen Geschichten sogar eine Verschmelzung mit der Figur Münchhausens. In den Bergen von Kentucky erzählt man zum Beispiel — aber ohne Umlaut — von einem „Mountain Munchhausen." In manchen Zügen unterscheiden sich aber die amerikanischen Erzählungen von den Lügengeschichten der Weltliteratur. Vor allem ist es für die „Tall Tales", die ihren Namen nicht umsonst haben, charakteristisch, daß sie alle Dimensionen sprengen. Münchhausen reitet auf einer Kanonenkugel, er landet auf dem Mond. Sindbad strandet an einem riesigen Magnetberg. Gulliver wird in das Land der Riesen verschlagen. Aber was ist das alles gegen Pecos Bill, dem Cowboy-König aus Texas, der mit einer Herde von Schakalen aufgewachsen ist, auf einem Panther reitet, als Reitpeitsche eine Klapperschlange benützt und mit dem Lasso, das er selber erfunden hatte, einen Zyklon fängt? Was ist das alles gegen Davy Crockett, der die Erdachse auftaute, als sie eingefroren und die Erde steckengeblieben war. Einmal packte Davy Crockett einen

Kometen, der sich der Erde genähert hatte, am Schweif, schwang ihn siebenmal um den Kopf und schleuderte ihn zurück in den Weltraum hinaus.

Seit Jahrhunderten gibt es Lügendichtungen. Immer wieder hat es Autoren gegeben, die zu Hyperbeln, Übertreibungen und Lügen gegriffen haben. Immer wieder hat es Menschen gegeben, die dagegen Bedenken hatten — häufig, weil sie gerne wollten, daß man irgendwelche andere Lügen ernst nehme.

Vor einigen Jahrzehnten schrieb der Wiener Schriftsteller Franz Blei (1871–1942) eine „Apologie der Lüge". Es entspricht der Natur der Sache, daß er dabei in geistreicher Weise mitunter auch Unwahres bringt. So manches, was er sagt, verdient aber bedacht zu werden — so etwa, wenn er erklärt: „Im glücklichsten Fall deckt sich die Wahrheit mit Güte. Wo dieses aber nicht der Fall ist, muß die Güte über die Wahrheit Herr werden. Womit wir wieder bei der Lüge sind."

Es ist nicht nötig, sich in eine Philosophie der Lüge einzulassen, um weitere Worte Franz Bleis in der „Apologie der Lüge" zu bedenken: „Die Frage ist immer nur: wie, wieviel, wann, wo, zu wem und unter welchen Umständen wir zu lügen haben und zu lügen das allein Richtige und Wahre ist."

Es gibt Lügengeschichten, in denen plump gelogen wird. Es gibt Lügenerzähler, die genau so, soviel, dann und da lügen, wo es richtig ist. „Wo es richtig ist, wenn das Lügen seinen sittlichen Charakter behalten soll", würde Franz Blei dazu sagen.

---

sich nähern *approach*
der Schweif *tail*
schleudern *sling*

der Weltraum
  interstellar space

die Hyperbel *hyperbole*

greifen zu *have recourse to*
das Bedenken *scruple, doubt*
häufig *frequently*

entsprechen *be in accord with*
geistreich *ingenious*

verdienen *deserve*
bedenken *think about*
etwa *perhaps*
sich decken *be identical*

Herr werden *prevail*

sich einlassen *become involved*

der Umstand
  circumstance

sittlich *ethical*
behalten *retain*

Übungen

Kapitel Eins

I. Schreiben Sie: Ja..., oder Nein... nicht..., oder Doch...!
   Beispiele: Münchhauseniade und Lügendichtung sind dasselbe.
   Ja, Münchhauseniade und Lügendichtung sind dasselbe.

   Der Lügenbaron nahm an einem Kreuzzug teil.
   Nein, der Lügenbaron nahm nicht an einem Kreuzzug teil.

   Es gibt keine Familie Münchhausen.
   Doch, es gibt eine Familie Münchhausen.

1. Münchhauseniade und Lügendichtung sind dasselbe.
2. Der Lügenbaron nahm an einem Kreuzzug teil.
3. Es gibt keine Familie Münchhausen.
4. Es gibt keinen historischen Lügenbaron.
5. Gerlach Adolf von Münchhausen war einer der Gründer der Universität Göttingen.
6. Hieronymus von Münchhausen wurde 1720 geboren.
7. Er kämpfte in Amerika.
8. Er kämpfte in Rußland.
9. Er war kein begeisterter Jäger.
10. Münchhausen heiratete nicht.
11. Er lebte in glücklichster Ehe.
12. Münchhausen war kein Weltmann.
13. Nach 1750 reiste er viel.
14. Nach dem Tod seiner Frau heiratete er nicht wieder.
15. Seine zweite Frau brachte ihm Glück.

II. Ergänzen Sie die Sätze!
1. Die drei typischen Formen für die Lügendichtung sind ...
2. Die Geschichten Münchhausens erhielten ihre literarische Form durch ...
3. Die erste deutsche Lügendichtung ist wohl der ...
4. Das Gedicht ist nicht in deutscher, sondern in ... Sprache.
5. Die Zeitungen des „Lalenbuches" enthalten viele bekannte ...
6. Die Form der Lüge bei Schelmuffsky ist ...

7. Christian Reuter hatte in ... studiert.
8. Müller-Schelmuffsky ist ... aus seiner Heimatstadt gekommen.
9. Die ersten Münchhausengeschichten waren nicht Reiselügen, sondern ...
10. Der „witzige Kopf", der Herr von M-h-s-n, war natürlich ...
11. Diese Geschichten sind nicht einfach Lügen, sondern ... auf die üblichen Jagdlügen.
12. Der Autor des englischen Münchhausen-Buches war ...
13. Der Aufschneider wird zum Symbol des Gegensatzes (contrast) zwischen ...
14. Der Aufschneider ist ein „... im Kleinen."
15. Wie Odysseus, Hamlet, Don Quijote und Faust wurde Münchhausen zum ... Symbol.
16. Bürgers Münchhausen ist ein freier Abenteurer ohne ...
17. Münchhausen übt Kritik und ist dabei durchaus ...
18. Münchhausen führt seine Abstammung (ancestry) auf den biblischen ... zurück.
19. Spätere Autoren sahen Münchhausen ... als Bürger.
20. Münchhausen ist aber das Urbild des ... geblieben.

Kapitel Zwei

Ergänzen Sie die Sätze!
1. Münchhausen reiste nicht im Sommer, sondern im ...
2. Im Sommer waren die Wege in Polen nicht gut, sondern ...
3. Im Nordosten wurde es nicht immer wärmer, sondern immer ...
4. Das war nicht angenehm, sondern ...
5. Er ritt weiter, nicht bis es Tag wurde, sondern bis es ... wurde.
6. Als er wieder erwachte, war es nicht dunkle Nacht, sondern heller ...
7. Das Dorf war nicht am Morgen, sondern am ... zugeschneit gewesen.
8. Als der Schnee schmolz, sank er nicht schnell, sondern ... herab.
9. Nicht alles ging schlecht, sondern es ging ..., bis er nach Rußland kam.
10. Das Pferd lief vor Schrecken nicht noch langsamer, sondern noch ...
11. Auch der Wolf lief nicht immer langsamer, sondern immer ...
12. Von Tieren gibt es in Rußland nicht weniger, sondern ... als in anderen Ländern.
13. Das Trinken ist in Rußland nicht unwichtiger, sondern ... als in Deutschland.
14. Der General trank während des Essens nicht eine Flasche, sondern ... Flaschen Weinbrand.
15. Er war nicht immer, sondern ... betrunken.
16. Er wollte nicht beweisen, daß er unrecht hatte, sondern daß er ... hatte.
17. Der General erlaubte Münchhausen nicht manchmal, sondern ..., die Alkohol-Wolke anzuzünden.

JAGDGESCHICHTEN

WILDSCHWEINE

Ist „a" oder „b" richtig?
1. Das kleine Wildschwein lief weg, aber das große blieb stehen.
   a. Er sah nur noch ein Wildschwein.   b. Er sah immer noch zwei Wildschweine.
2. Die Wildschweine sind sehr gefährlich.
   a. Sie sind hilflos.   b. Sie sind gar nicht hilflos.

3. Er traf ein Wildschwein, als er ohne Gewehr war.
   a. Er schoß sofort.   b. Er konnte nicht schießen.
4. Er konnte es leicht lebendig nach Hause bringen.
   a. Es lebte.   b. Es war tot.

DER SONDERBARE HIRSCH

1. Tausendmal sah Münchhausen in Kirchen Bilder des Hirsches.
   a. Er ging selten in die Kirche.   b. Er ging oft in die Kirche.
2. Er will von Dingen erzählen, die er mit eigenen Augen gesehen hat.
   a. Er war selber dabei.   b. Er hat nur darüber gelesen.
3. Münchhausen traf den herrlichsten Hirsch der Welt.
   a. Er war ein sehr schöner Hirsch.   b. Der Hirsch war gar nicht schön.
4. Der Hirsch konnte entfliehen.
   a. Er lebte.   b. Er war tot.
5. Später legte Münchhausen den Hirsch mit einem Schuß zu Boden.
   a. Er hat gut geschossen.   b. Er hat schlecht geschossen.

VON PFERDEN UND HUNDEN

MEIN HÜHNERHUND

Setzen Sie „a" oder „b"!
1. Wegen seiner Taten ist Münchhausen immer ... gewesen.
   a. berühmt   b. unbekannt
2. In der Nacht hängte Münchhausen dem Hund ... an den Schwanz.
   a. eine Kirsche   b. eine Lampe
3. Da niemand zu sehen war, wurde er ...
   a. böse   b. unruhig
4. Er ritt so ... er konnte, um Hilfe zu holen.
   a. langsam   b. schnell
5. Nach langer Zeit und ... Arbeit konnte man die Menschen befreien.
   a. schwerer   b. wenig
6. Nach zwei Wochen konnte der Hund kaum zu Münchhausen kommen,
   denn er war so ...
   a. böse   b. müde

DER SELTSAME HASE

1. Münchhausen konnte den Hasen nie schießen, denn er war viel zu ...
   a. schnell   b. klein

2. Er glaubt nicht an Hexerei, denn er hat zu viele ... Dinge erlebt.
   a. unangenehme   b. außerordentliche

DAS LITAUISCHE PFERD

1. Die Herren gingen in den Hof, um ein neues ... Pferd zu sehen.
   a. altes   b. junges
2. Das Pferd war so ..., daß niemand wagte, ihm nahezukommen.
   a. wild   b. edel
3. Er ließ das Pferd durch ein ... Fenster springen.
   a. geschlossenes   b. offenes
4. Der Graf ... Münchhausen das Pferd.
   a. schickte   b. schenkte
5. Kurz nach ... des Krieges schlug er die Türken in die Flucht.
   a. Ende   b. Beginn
6. Am Brunnen ... das Pferd.
   a. aß und aß   b. trank und trank
7. Als man die Stadt belagerte, wollte der General wissen, was ... der Stadt vor sich ging.
   a. in   b. vor
8. Er sprang von einer Kugel auf die andere, als sie ganz ... war.
   a. weit weg   b. in der Nähe
9. Münchhausen sprang so schnell durch die Kutsche, daß er kaum Zeit fand, seinen Hut ...
   a. aufzusetzen   b. abzunehmen
10. Er wendete mitten in der Luft um, da der Sumpf zu ... war.
   a. breit   b. tief

ALS GEFANGENER BEI DEN TÜRKEN

Ist „a" richtig oder „b"?
1. Münchhausen wurde von den Türken gefangen.
   a. Trotz der Schnelligkeit seines Pferdes.   b. Wegen der Schnelligkeit seines Pferdes.
2. Er mußte den ganzen Tag bei den Bienen bleiben.
   a. Er hatte dort zu bleiben.   b. Er wollte dort bleiben.
3. Eines Abends vermißte er eine Biene.
   a. Es war ein Mißverstehen.   b. Eine Biene fehlte.
4. Er erinnerte sich, daß türkische Bohnen schnell emporwachsen.
   a. Er dachte daran.   b. Er wollte nicht daran denken.
5. Auf dem Mond glänzte alles wie Silber.
   a. Alles sah aus wie alles andere.   b. Alles sah anders aus.

AUF DER RÜCKREISE NACH DEUTSCHLAND

1. Es war damals ein strenger Winter.
   a. Es war mildes Wetter.   b. Es war außerordentlich kalt.
2. Es kam kein Ton aus dem Horn.
   a. Man konnte nichts hören.   b. Der Kutscher blies zu leise.
3. Der Paß war für zwei Wagen zu eng.
   a. Es war zu viel Platz.   b. Es war nicht genug Platz.
4. Münchhausen setzte sich dem Kutscher gegenüber.
   a. Er setzte sich neben ihn.   b. Er setzte sich auf die andere Seite des Tisches.
5. Manche Menschen haben an Münchhausens Erzählungen Zweifel.
   a. Sie glauben ihm alles.   b. Sie glauben ihm nicht.

DIE SEEABENTEUER

DER STURM

Beantworten Sie die Fragen!
1. Was für eine Reise war Münchhausens erste Reise?
2. Wie alt war er?
3. Wer erzählte ihm vom Reisen?
4. Was bat Münchhausen immer wieder?
5. Wer half ihm?
6. Wohin führte die erste Reise?
7. Von welcher Stadt fuhr das Schiff ab?
8. Was wollte man sich von der Insel holen?
9. Was flog während des Sturmes in die Luft?
10. Wohin fiel nach dem Sturm jeder Baum?
11. Welcher Baum machte eine Ausnahme?
12. Warum hatten die Einwohner ihre Wohnungen verlassen?
13. Wen tötete der Baum?
14. Wem waren die Einwohner dankbar?
15. Warum hatte das Paar das Licht seiner Augen verloren?

AUF CEYLON

1. Wie lange fuhr man nach Ceylon?
2. Was für ein Mann war der Sohn des Gouverneurs?
3. Warum blieb Münchhausen zurück?

4. Wieviel Zeit hatte er zu überlegen?
5. Was versuchte Münchhausen?
6. Was stand wenige Schritte vor ihm?
7. Warum war seine Situation entsetzlich?
8. Was hörte er in wenigen Sekunden?
9. Wo steckte der Löwe mit seinem Kopf?
10. Was versuchten der Löwe und das Krokodil?
11. Was machte Münchhausen mit seinem Messer?
12. Wie groß war das Krokodil?
13. Wem schenkte er das ausgestopfte Krokodil?
14. Was erzählt der Museumsdiener in Amsterdam über Münchhausen?
15. Was schreibt Münchhausen über Lügen, die man von ihm erzählt?

ALS GEFANGENER EINES FISCHES

Berichtigen Sie (correct) die folgenden Sätze!
Beispiel: Einmal war Münchhausen im Atlantik in Gefahr, sterben zu müssen.
Einmal war Münchhausen im Mittelmeer in Gefahr, sterben zu müssen.
1. Er schwamm in dem schönen Atlantik.
2. Es war an einem Winternachmittag.
3. Da kam ein kleiner Fisch auf ihn zugeschwommen.
4. Münchhausen machte sich so groß wie möglich.
5. Im Magen des Fisches war es hell, aber sehr kalt.
6. Der Fisch bekam Kopfschmerzen.
7. Die schnelle Bewegung von Münchhausens Füßen störte den Fisch nicht.
8. Seeleute eines russischen Schiffes sahen den Fisch.
9. Im Magen des Fisches war für mehr als hundert Mann Platz.
10. Münchhausen war gut gekleidet.
11. Das Abenteuer hatte drei Minuten gedauert.
12. Er fand seine Kleider nicht wieder.

DER LUFTBALLON

Es stimmt, daß ..., oder es stimmt nicht, daß ...
Beispiele: Münchhausen lebte einmal in der Türkei.
Es stimmt, daß Münchhausen einmal in der Türkei lebte.

Er fuhr nie auf dem Marmara-Meer.
Es stimmt nicht, daß er nie auf dem Marmara-Meer fuhr.

1. Er erblickte einmal ein rundes Ding in der Luft.
2. Der erste Schuß machte an der Seite ein Loch.
3. In dem Wagen war ein Mann.
4. In dem Wagen war ein Schaf.
5. Der Mann schien ein Italiener zu sein.
6. Der Mann war sehr müde.
7. Der Wind hatte ihn über das Meer hinausgetragen.
8. Sein Hunger wurde während der Reise groß.
9. Er mußte das Schaf schlachten.
10. Er hat nichts gegessen.
11. Die Luftreise hatte sieben bis acht Tage gedauert.
12. Der Mann schenkte Münchhausens Bootsmann seinen Wagen.

MEINE AUßERORDENTLICHEN DIENER

Setzen Sie „a" oder „b" ein!
1. Der Sultan sandte Münchhausen ...
   a. nach Kalifornien   b. nach Kairo
2. Der Läufer kam aus ...
   a. Wien   b. Wiesbaden
3. Es war für den Läufer ..., jetzt schnell zu laufen.
   a. notwendig   b. nicht notwendig
4. Der schnelle Läufer trat in ... Dienste.
   a. Münchhausens   b. des Sultans
5. Das Gras wachsen hören, meinte ein anderer, ist eine ...
   a. schwere Sache   b. Kleinigkeit
6. Der Jäger versuchte ein ... Gewehr.
   a. ganz altes   b. ganz neues
7. Vor einem großen Wald stand ein ... Kerl.
   a. starker   b. kleiner schwacher
8. Der Mann hatte ... vergessen.
   a. sein Gewehr   b. seine Axt
9. Der dicke Mann hielt sich ... zu.
   a. ein Nasenloch   b. die Ohren
10. Die neuen Diener blieben ... bei Münchhausen.
    a. alle nicht   b. nicht alle
11. Während der Fahrt auf dem Fluß begann das Wasser ...
    a. zu fallen   b. zu steigen
12. Am nächsten Morgen waren Münchhausen und seine Leute von ...
    umgeben.
    a. Kirschbäumen   b. Mandelbäumen

13. Sie hatten ... zu essen.
    a. nichts   b. Mandeln
14. Sie fanden das Schiff ...
    a. nie wieder   b. wieder
15. In Kairo sah Münchhausen ... des Sultans.
    a. die Frau   b. den Harem

BEIM SULTAN

Richtig oder Falsch?
1. Beim Sultan aß man gut.
2. Münchhausen und der Sultan tranken immer nach dem Essen.
3. Der Sultan meinte, sein Tokaier sei etwas Extrafeines.
4. Münchhausen meinte auch, der Tokaier des Sultans sei etwas Extrafeines.
5. Münchhausen hatte in Wien einen besseren Tokaier getrunken.
6. Münchhausen schrieb einen Brief an die Kaiserin Maria Theresia in
   Wien.
7. Er gab seinem Jäger den Brief.
8. Der Läufer sollte den Wein in einer Stunde bringen.
9. Der Läufer kam zu spät.
10. Münchhausen ließ den starken Mann mit einem Strick kommen.
11. Der starke Mann konnte aber nicht alles tragen.
12. Der Sultan freute sich, daß Münchhausen so viele Schätze mitgenommen
    hatte.
13. Der Windmacher rettete Münchhausen.
14. Münchhausen behielt den Schatz bis Ende seines Lebens.

DIE BELAGERUNG VON GIBRALTAR

Ist „a" richtig oder „b"?
1. Münchhausen besuchte seinen alten Freund.
   a. Er kannte ihn schon lange.
   b. Er kannte ihn seit ein paar Wochen.
2. Mit des Generals Erlaubnis ließ er eine Kanone laden.
   a. Er durfte es eigentlich nicht.
   b. Er durfte es.
3. In der Artillerie hat er seinen Meister noch nicht gefunden.
   a. Es war keiner besser als er.
   b. Es gibt viele, die besser sind als er.

4. Die zwei Kanonenkugeln trafen aufeinander in der Mitte des Weges.
   a. Sie flogen aneinander vorbei.
   b. Münchhausen war ein Meister, was Artillerie betrifft.
5. Der General wollte Münchhausen zum Offizier machen.
   a. Münchhausen sollte vielleicht auch General werden.
   b. Münchhausen sollte vielleicht Präsident werden.
6. Als die Bombe in das Zimmer flog, verließ der General sogleich den Raum.
   a. Er wartete nur ein paar Minuten.
   b. Er ging sofort.
7. Münchhausen erinnerte sich an etwas.
   a. Er dachte an etwas.
   b. Er dankte dem General für etwas.

DIE SCHLEUDER DAVIDS

Beantworten Sie die Fragen!
1. Worüber haben David und die Frau des Urias gestritten?
2. Mit wem von den beiden war Münchhausen verwandt?
3. Was war die Schwäche Davids?
4. Was war die Schwäche der Frau?
5. Was nahm die Frau mit?
6. Mit welchem Dichter wurde Münchhausens Ururgroßvater bekannt?
7. Wer regierte damals in England?
8. Was wünschte sich Münchhausens Ururgroßvater von der Königin?

DIE REISE NACH OSTINDIEN

SYNONYME WÖRTER UND AUSDRÜCKE

der Arzt	der Doktor
beginnen	anfangen
die Diskussion	die Debatte
entfernt	weit weg
erhalten	bekommen
erklären	sagen
gehen	fahren
gerade	eben
eine halbe Stunde	dreißig Minuten
die Lage	die Situation

dem Land nahe	nicht weit vom Land
nachher	später
die Seereise	die Reise auf dem Meer
die Summe	das Geld
das Wild	wilde Tiere (pl.)

Setzen Sie ein Synonym für das andere!

1. Von England aus machte Münchhausen noch eine *Seereise*.
2. Er *ging* nach Ostindien.
3. Sie waren dreihundert Meilen vom Land *entfernt*.
4. Der Hund witterte *Wild*.
5. Münchhausen erklärte, man sei *dem Land nahe*.
6. Es gab eine lange *Diskussion* darüber.
7. Münchhausen *erklärte*, er glaube an die Nase seines Hundes.
8. Er wollte wetten, daß sie in *einer halben Stunde* Wild finden würden.
9. Der Kapitän *begann* wieder zu lachen.
10. Er rief *den Arzt*.
11. Er wollte ihm *die* verlorene *Summe* zurückgeben.
12. Er wollte sie ihm *nachher* zurückgeben.
13. Sie hatten *gerade* gewettet, als einige Matrosen einen Hai fingen.
14. Die Vögel waren lange in dieser *Lage* im Magen des Fisches.
15. Münchhausen *erhielt* hundert Guineen vom Kapitän.

DIE REISE AUF DEN MOND

Setzen Sie „a" oder „b"!

1. Münchhausen machte ... eine Reise auf den Mond.
   a. einmal   b. mehrere Male
2. Er hat die Geschichte Gullivers immer für ... gehalten.
   a. wahr   b. ein Märchen
3. Nach sechs Wochen Fahrt durch die Luft sahen sie ein Land, das ... war.
   a. rund und dunkel   b. rund und licht
4. Sie fanden das Land ...
   a. bewohnt   b. unbewohnt
5. Auf dem Mond ist ... sehr groß.
   a. manches   b. alles
6. Auf dem Mond ... alles auf Bäumen.
   a. wächst   b. klettert
7. Wenn die Mondmenschen geboren werden, sind sie so wie wir auf der Erde mit ... Jahren.
   a. dreizehn   b. dreißig

8. Münchhausen meint, die Mond-Traubenkerne bilden den ... auf der Erde.
   a. Schnee b. Hagel
9. Die Augen der Mondmenschen sind ...
   a. sonderbar b. wunderschön
10. Münchhausen sagt, daß er immer ... erzählt.
   a. die Unwahrheit b. die Wahrheit

DIE REISE DURCH DIE WELT

Ist „a" richtig oder „b"?
1. Der Berg Ätna ist ein tätiger Vulkan.
   a. Er bricht manchmal aus. b. Tätige Vulkane brechen nicht aus.
2. Er ging um den Krater herum, wurde aber dadurch nicht klüger.
   a. Er konnte nichts entdecken.
   b. Er wußte nun, warum der Vulkan tätig ist.
3. Münchhausen sprang hinein und befand sich in einem Schwitzkasten.
   a. Es war schrecklich warm. b. Es war bitter kalt.
4. Er hatte Berichte über den Feuergott Vulkan für Lügen gehalten.
   a. Er hatte jedes Wort geglaubt. b. Er hatte kein Wort geglaubt.
5. Der Nektar war herrlich, meinte er.
   a. Der Nektar schmeckte ihm gut. b. Er konnte den Nektar kaum trinken.
6. Ihm gefiel die Göttin, die Frau des Vulkans, sehr.
   a. Die Göttin fiel ihm in die Arme. b. Er mochte sie sehr.
7. Münchhausen fiel in den Brunnen.
   a. Es gefiel ihm in dem Brunnen. b. Er wollte gar nicht in den Brunnen.
8. Bevor es Nacht wurde, sah er ein Schiff.
   a. Es war noch nicht dunkel. b. Es war schon dunkel.
9. Die Holländer machten ein Gesicht, als glaubten sie Münchhausen nicht.
   a. Sie meinten wohl, er erzählte Unwahrheiten. b. Sie erzählten ihm wohl Unwahrheiten.
10. Wenn Sie Münchhausen besuchen sollten, wird es Ihnen an Unterhaltung nicht fehlen.
   a. Münchhausen wird es an Unterhaltung nicht fehlen.
   b. Sie werden sich gut amüsieren.

Kapitel Drei

Schreiben Sie: Ja..., oder Nein... nicht, oder Doch...!
1. Münchhausen ist nicht die wichtigste Figur in der deutschen Lügendichtung.
2. Münchhausen änderte sich nie.
3. Es gibt viele Münchhausen-Romane.
4. Der Roman von Karl Immermann ist ein unbedeutender Roman in der deutschen Lügendichtung.
5. Die Münchhausen-Figur Immermanns ist eine ganz andere als die Bürgers.
6. Wichtig ist bei Immermann nicht, was Münchhausen lügt, sondern wie er lügt.
7. Immermanns Figur ist ein Symbol des Schwindelgeistes seiner Zeit.
8. Immermanns Münchhausen war auch ein heiterer Lügenerzähler.
9. Lienhards Komödie ist sogenannte Heimatkunst.
10. Kästners Münchhausen-Figur ist in Deutschland keine bekannte Figur.
11. Der Münchhausen Kästners entstand 1942.
12. Die Übermenschlichkeit von Kästners Münchhausen liegt in seiner Menschlichkeit.
13. Paul Scheerbart erzählt von einer Utopie des Nichtwirklichen aber Möglichen.
14. Jagd- und Kriegslügen finden sich bei Scheerbart wieder.
15. Die Münchhausen-Erzählungen Scheerbarts sind Träume von einer fernen Zukunft, die schöner ist als die Welt von heute.

Kapitel Vier

I. Das Vorspiel
Ergänzen Sie die Sätze!
1. Die junge Gräfin hieß ...
2. Wenn Sie den schönen See sieht, könnte sie vergessen, daß sie in ... wohnt.
3. Auf ihrem Bild reitet Münchhausen auf einer ...
4. Die Gräfin ist ... Jahre alt.
5. Der Besucher sagte: „Ich bin der ... Baron Münchhausen".
6. Der Baron war im ... des Grafen.
7. Der Baron fuhr mit seinem ... nach Potsdam.
8. Der Graf will eine kleine ... einladen.
9. Münchhausen will über die ... in ... erzählen.
10. Für seine Erzählungen braucht Münchhausen ...
11. Nächsten ... will er wiederkommen.
12. Clarissa will alle ... Leute in Berlin einladen.

II. Der Montag

SYNONYME WÖRTER UND AUSDRÜCKE

anfangen	beginnen
fahren	reisen
die Fahrt	die Reise
die Frau	die Dame
ganz still	lautlos
herrlich	wunderbar
die meisten	fast alle
natürlich	selbstverständlich
es nötig haben	brauchen
plötzlich	auf einmal
sehen	bemerken
sehr müde	erschöpft
die Skulptur	die Bildhauerkunst
sofort	sogleich

sprechen über	besprechen
tun	machen
überreichen	geben
vormittags	morgens

Setzen Sie ein Synonym für das andere!

1. Der Graf hatte eine *herrliche* Villa.
2. *Die meisten* Gäste kamen sehr früh.
3. Berühmte *Frauen* kamen auch.
4. *Natürlich* kamen auch berühmte Damen.
5. Er *fing* gleich *an*.
6. Die Leute saßen *ganz still* da.
7. In Australien wollte er *sofort* die Ausstellung sehen.
8. Er *hatte es* nicht *nötig* aufzustehen.
9. *Plötzlich* sah er große Inseln auf dem See.
10. „*Fahre* zu Hause", sagen manche Leute.
11. Der Baron *sah*, daß Clarissa die Augen geöffnet hatte.
12. Am nächsten Tag soll er schon *vormittags* kommen.
13. Sie wollen *über* Verschiedenes *sprechen*.
14. Clarissa will nicht fragen, was er in Potsdam *tut*.
15. Die Gräfin *überreicht* ihm einen Brief.
16. Münchhausen war *sehr müde*.
17. Er erzählte noch etwas von der *Skulptur* in Australien.
18. In Melbourne hatte er die herrlichste *Fahrt* seines Lebens gemacht.

III. Der Dienstag

Richtig oder Falsch?

1. Am Dienstag sprach man von der Literatur.
2. In Clarissas Zimmer hängt über dem Spiegel ein Bild von ihrem Vater.
3. Die Gräfin meinte, die Architekten seien die größten Tyrannen.
4. Der Graf stand auf der Seite der Architekten.
5. Am Abend erzählte der Baron von der Innendekoration.
6. Die Techniker waren in Australien keine Freunde der Kunst.
7. In Australien ist nichts mechanisch.
8. In Australien kann man aus ganz stupiden Leuten Künstlernaturen machen.
9. Der Baron meinte, das Hausinnere wirkt dort interessanter als das Menscheninnere.
10. An dem Abend trank man Wasser.
11. Die Schwarzkünstler wohnen in einfachen Palästen.
12. In Australien gibt es dieselben Theaterstücke wie in Europa.
13. Europäer können im Theater dort immer folgen.

14. Münchhausen fuhr wieder mit seinem Automobilschlitten nach Potsdam zurück.

IV. Der Mittwoch
Beantworten Sie die Fragen!
  1. Um welche Zeit kam Münchhausen abends in die Villa?
  2. Wie viele Köpfe hat der Mensch?
  3. Wie viele Arme und Beine hat der Mensch?
  4. Warum dient der Mensch den Bildhauern Melbournes nicht als Modell?
  5. Was für Gestalten will man in Melbourne schaffen?
  6. Hatte Clarissa das Neue in der Kunst schon gesehen?
  7. Wie alt ist der Baron Münchhausen?
  8. Ist die junge Gräfin gegen das Neue?
  9. Was für Lebewesen findet man bei den Bildhauern?
 10. Was hat Münchhausen verloren?
 11. Wann will Clarissa den Baron am nächsten Tag sprechen?
 12. Wo möchte Clarissa ihn sprechen?

V. Der Donnerstag
  1. Kam Münchhausen pünktlich ins Café?
  2. Was meint die Gräfin von der heutigen Zeit?
  3. Was müssen Frauen heute immer wieder sagen, meint Clarissa?
  4. Was möchte Clarissa am nächsten Montag mit dem Baron machen?
  5. Was werden Mama und Papa aber sagen?
  6. Wer soll sich nie ausruhen?
  7. Wer wird wohl Clarissa und Münchhausen mißverstehen?
  8. Was ist Münchhausens Vorname?
  9. Wie nennt ihn Clarissa?
 10. Wie spät war es, als der Baron nach Berlin zurückfuhr?

VI. Der Freitag
Setzen Sie „a" oder „b" ein!
  1. Als der Baron in die Villa kam, sah er ... aus.
     a. müde b. frisch
  2. Heute erzählt er von ...
     a. Luxuszügen b. Luxusschiffen
  3. Neben ihm saß ein ...
     a. Architekt b. Professor
  4. Der Professor sagt, wir wissen von den Tiefseeformationen ...
     a. so gut wie gar nichts b. alles
  5. In dem Steintunnel war ... zu sehen.
     a. nichts b. viel

6. Der Professor war ein ...
   a. geborener Berliner b. geborener Melbourner
7. Als sie ausstiegen, sahen sie ... über sich.
   a. den Sternenhimmel b. die Sonne
8. Es war heller ..., als Münchhausen wegfuhr.
   a. Mondschein b. Sonnenschein

VII. Der Sonnabend
1. Clarissa meint, sie hat ... erlebt.
   a. zu viel b. zu wenig
2. Heute kamen die Gäste ...
   a. sehr früh b. sehr spät
3. In der Literatur schildert man das Leben ...
   a. in anderen Ländern b. auf anderen Sternen
4. Man will ... um jeden Preis.
   a. das Alte b. das Neue
5. Münchhausen ist sehr ... das Stillstehen.
   a. gegen b. für
6. In der neuen Literatur schildert man die Menschen nur ...
   a. äußerlich b. innerlich
7. Es gibt in der neuen Literatur die ... Künstlerromane.
   a. kompliziertesten b. einfachsten
8. Clarissa findet, Münchhausen erzählt so ...
   a. trocken b. lebhaft
9. Es hat ..., wenn Münchhausen müde aussieht.
   a. keinen Grund b. einen natürlichen Grund
10. An diesem Sonnabend wurde es ...
   a. warm b. sehr kalt

VIII. Der Sonntag
Ergänzen Sie die Sätze!
1. Der Tag der Maler war in Melbourne ...
2. „Wie ist es nur ..., daß man über all das nichts weiß?" fragte eine Dame.
3. Die Journalisten bringen nicht gern ..., meinte Münchhausen.
4. Münchhausen sagt, er ist ... Journalist.
5. Der alte Herr sagte, er ist Clarissa nie ... gewesen.
6. Es gab ein Diner von ... Gängen.
7. Am Sonntag konnte der Baron das sogenannte ... kennenlernen.
8. Auf dem Diwan sah er einen alten Herrn schlafen. Das war ...
9. Die andere Hälfte seines Ichs kann eine ... durch den Kosmos machen.
10. Sie fahren ... Meilen durch den Weltraum.
11. Während der Kosmos-Reise vergaß er sein ...

12. Der Professor sagte, sein ... schläft auch in Melbourne.
13. Das ... der Lebewesen untereinander ist das größte Geheimnis unserer Welt, meinte der Professor.
14. Am Ufer des Sees aßen sie Bratwürste und tranken ...
15. Am nächsten Tag um ... soll der Baron wieder ins Café kommen.

IX. Das Nachspiel
1. Münchhausen kam dem Grafen im ... des Hotels lachend entgegen.
2. Am Nachmittag will der Baron mit Clarissa ...
3. Der Baron fragte den Grafen, ob er etwas ... eine Heirat hat.
4. Der Graf öffnete ... an seine Frau.
5. Die Gräfin denkt vielleicht, ihre Tochter ist ... für Münchhausen.
6. Clarissa saß um ... schon bei Josty.
7. Clarissa und der Baron tranken beide ...
8. Die beiden wollen nach ... fahren.
9. Münchhausen soll Clarissa für ... behalten.
10. In Wien fand man ... an dem Durchgehen von Münchhausen und Clarissa.
11. Münchhausen meinte, es ist besser, wenn die Leute sie ... verstehen.
12. Man könnte die beiden leicht ...
13. Sie fuhren von ... zu ... und von ... zu ...
14. Die Melbourne-Kunst geht den Künstlern Wiens zu ...
15. Münchhausen meint, sie werden alle die neue Kunst ..., wenn sie älter werden.

Kapitel Fünf

1. Wie heißt die Lügengeschichte Lukians?
2. Was für Lügen findet man in der Dichtung Lukians?
3. Womit schließt die Geschichte Lukians?
4. Was ist der Unterschied zwischen den Erzählungen Homers und Lukians über das Reich der Toten?
5. Wer war Nimrod?
6. Was für ein Werk ist der chinesische Roman, von dem hier gesprochen wurde?
7. Was für eine Rolle spielt der Mond — in der Lügendichtung und in der Literatur und Philosophie überhaupt?
8. Geben Sie Beispiele von Werken der Weltliteratur, in denen sich Lügenmotive finden!
9. Wer ist ein bekannter Aufschneider in der englischen Literatur — in der spanischen Literatur?
10. Was für ein Lügenerzähler ist der Ungar Háry János?
11. In welchen Werken findet sich das Motiv der eingefrorenen Töne?
12. Wer ist Ejikotaro? Wie endet die Ejikotaro-Geschichte?
13. Woher kam der Stoff der amerikanischen „Tall Tales"?
14. Wie heißen bekannte Figuren der „Tall Tales"? Nennen Sie einige „Leistungen" dieser Figuren!
15. Was ist für die „Tall Tales" charakteristisch?
16. Was hatte Franz Blei über die Lüge zu sagen?

Themen für den Aufsatz (composition)

1. Die deutsche Lügendichtung bis Bürger.
2. Die Formen der Lügendichtung bei Bürger.
3. Die Gesellschaftskritik bei Bürger.
4. Charakterisierung der Münchhausen-Figur Bürgers.
5. Die deutsche Lügendichtung von Bürger bis heute.
6. Charakterisierung der Münchhausen-Figur Scheerbarts.
7. Die Unterschiede zwischen den Figuren Bürgers und Scheerbarts.
8. Utopische Ideen bei Scheerbart.
9. Heiteres und Ernstes in der Lügendichtung.
10. Die Lügendichtung in der Weltliteratur.
11. Die Unterschiede zwischen deutschen Münchhauseniaden und den amerikanischen „Tall Tales".
12. Welche Lügendichtungen kennen Sie außer den Werken, von denen hier gesprochen wurde?

Wörterverzeichnis

Days of the week and months of the year, numerals, articles, personal pronouns, possessive adjectives and pronouns, and a few obvious cognates are not listed. Words which are glossed in the margin and which do not recur are not listed.

The genitive singular and nominative plural of masculine and neuter nouns are indicated, but only the nominative plural of feminine nouns. If masculine or neuter nouns are followed by only one form, no plural exists or the plural form is uncommon. If feminine nouns are followed by no form, no plural exists or the plural form is uncommon.

The principal parts of irregular and strong verbs are listed but they are not listed a second time when the stem appears with a prefix. Separable prefixes are hyphenated.

If the adverbial meaning differs from the adjectival meaning, it is given.

ABBREVIATIONS

adj. adjective
adv. adverb
coll. colloquial
conj. conjunction
lit. literally
pl. plural
prep. preposition

A

ab off
der Abend, –s, –e evening, night; **abends** in the evening
das Abenteuer, –s, – adventure; **abenteuerlich** adventurous, strange; **der Abenteurer, –s, –** adventurer
aber but, however
ab-fahren leave
ab-feuern fire (off), discharge
ab-nehmen take off
ab-reisen leave, depart
ab-schneiden, schnitt ab, abgeschnitten cut off
ach oh, ah
der Adel, –s nobility; **adlig** noble
afrikanisch African
Ägypten Egypt; **ägyptisch** Egyptian
ähneln resemble
allein alone, solely
alles all, everything
allgemein general, universal

als as, when, than
also so, thus, then
alt old
das Alter, –s age
amerikanisch American
an at, on, to, up
andere other; **anders** different, otherwise
sich ändern change
der Anfang, –(e)s, ⁀e beginning; **anfangen, fing an, angefangen, fängt an** begin, do
angenehm pleasant, agreeable
angewachsen adhering, grown fast to
die Angst, ⁀e fear, anxiety; **Angst haben** be afraid
der Anker, –s, – anchor
an-kommen arrive; **an-kommen auf** be the main thing; depend on
an-legen establish
an-nehmen accept, assume
anonym anonymous
an-sehen look at
die Anspielung, –en allusion
an-stoßen, stieß an, angestoßen, stößt an drink a toast
die Antwort, –en answer; **antworten** answer
das Anziehende, –n attractive feature
an-zünden ignite, light
die Arbeit, –en work; **arbeiten** work; **das Arbeitszimmer, –s, –** study
der Archäologe, –n, –n archeologist
sich ärgern become annoyed
arm poor
die Armee, –n army
arrangieren arrange
die Art, –en manner, kind, sort
der Arzt, –es, ⁀e doctor, physician
das Atelier, –s, –s studio
äthiopisch Ethiopian
Ätna Etna, Aetna
auch also, even; **auch nicht** not either
auf on, upon, in, to, for; up; **auf einmal** suddenly
auf-geben give up
die Auflage, –n edition
auf-nehmen take in, admit, receive
auf-schneiden, schnitt auf, aufgeschnitten boast, cut open; **der Aufschneider –s, –** braggart; **die Aufschneiderei** boasting
auf-stehen, stand auf, ist aufgestanden stand up, get up
auf-stellen set up
auf-tauchen appear
auf-tauen thaw

das Auge, –s, –n eye; die Augen (*pl.*) sight;
die Augenbrauen (*pl.*) eyebrows
der Augenblick, –(e)s, –e moment
aus out, out of, from
der Ausdruck, –s, ∸e expression; aus-drücken
express
die Ausgabe, –n edition
aus-machen constitute, represent
aus-ruhen rest
aus-sehen look, appear
außen out, outside; die Außenseite, –n
exterior; äußere outer, external; äußerlich
external
außerordentlich extraordinary
außerdem besides
außerirdisch non-terrestrial (life)
aus-steigen get off, climb out
die Ausstellung, –en fair
aus-suchen select
aus-trinken drink up
authentisch authentic
die Axt, ∸e ax

B

der Bahnhof, –(e)s, ∸e station
bald soon
der Ballon, –s, –s balloon
der Bär, –en –en bear
bauen build
der Bauer, –n, –n farmer, peasant
bedecken cover
bedenken think about
bedeuten mean, signify; bedeutend significant;
die Bedeutung, –en meaning, significance
beeinflussen influence; die Beeinflussung
influence, influencing
befinden für, find, consider, deem
sich befinden be, be found
befreien free, liberate
begeistert enthusiastic
der Beginn, –s beginning; beginnen, begann,
begonnen begin, start
begreifen, begriff, begriffen understand,
comprehend
der Begriff, –s, –e concept, idea
behalten, behielt, behalten, behält keep
bei by, at, on, with, at the home of, in the
works of, in the case of, during
beide both, two
das Bein, –(e)s, –e leg
das Beispiel, –s, –e example; zum Beispiel for
example

bei-tragen contribute
bekannt known, well-known; der Bekannte, –n,
–n acquaintance; die Bekanntschaft, –en
acquaintance
bekommen, bekam, bekommen get
belachen laugh at
die Belagerung, –en siege
beliebt popular
belohnen reward
bemerken notice
benützen use
bereits already
der Berg, –(e)s, –e mountain, mount
der Bericht, –(e)s, –e report, account;
berichten report, tell
berühmt famous
sich beschäftigen occupy oneself
besitzen, besaß, besessen have, possess, own
besonder(e)s special, especial
besser better
zum Besten haben make a fool of
die Bestie, –n beast
bestimmt certain, definite
bestrafen punish
das Bett, –(e)s, –en bed
der Besuch, –s, –e visit; besuchen visit
bevor before
bewegen move; die Bewegung, –en movement,
motion, drift; die Bewegungslust desire for
mobility
beweglich moving, movable; die Beweglichkeit
mobility, versatility
beweisen, bewies, bewiesen prove
bewohnen inhabit; der Bewohner, –s, –
inhabitant
bewußt conscious, aware
bezahlen pay
die Beziehung, –en relation
die Biene, –n bee
das Bier, –(e)s, –e beer
das Bild, –(e)s, –er picture, image
bilden form
der Bildhauer, –s, – sculptor; die
Bildhauerkunst sculpture
bilden form, shape; die bildende Kunst fine
arts
binden, band, gebunden tie, bind
die Bindung, –en tie(s), connection
bis up to, until, as far as, to; bis an to; bis zu
up to
der Bischof, –s, ∸e bishop
bisher up to now

bißchen a little bit
die Bitte, –n request; **bitten, bat, gebeten** ask, request
blasen, blies, geblasen, bläst blow
blau blue
bleiben, blieb, ist geblieben remain, stay
blicken (nach) glance (at), look (at)
der Boden, –s ground; **zu Boden legen** dispatch
die Bohne, –n bean
das Boot, –(e)s, –e boat; **der Bootsmann, –(e)s** boatman
der Bord, –(e)s, –e board, shipboard
böse angry, bad, evil
braten, briet, gebraten, brät roast; **der Braten, –s, –** roast
brauchen need, use
braun brown
brechen, brach, gebrochen, bricht break, break up
breit broad, wide
der Brief, –(e)s, –e letter
brillant brilliant, marvelous
bringen, brachte, gebracht bring, tell
die Brücke, –n bridge
das Buch, –(e)s, ·̈·er book
der Bürger, –s, – citizen
der Bürgermeister, –s, – mayor

C

charakteristisch characteristic
chemisch chemical
chinesisch Chinese
christlich Christian

D

da there, then; since
dabei in so doing, at the same time, thereby
das Dach, –(e)s, ·̈·er roof
daher therefore
dahin there, to that place
damals at that time
die Dame, –n lady
damit so that
danach then, after that
danken thank; **danke schön** thank you very much
dann then
darauf thereupon, then, later
die Darstellung, –en description, presentation
darum therefore, for that reason
daß that

dauern take, last
dazu for that, for that purpose, thereto, besides
denken, dachte, gedacht think; **denken an** think of; **sich denken** imagine
denn for, because
dennoch nevertheless
der–, die–, dasjenige the one, he, she, it, that (one)
der–, die–, dasselbe the same
deshalb therefore, for that reason
deutlich clear, distinct
deutsch German; **Deutschland** Germany
dichten write, compose, invent; **der Dichter, –s, –** poet, writer; **dichterisch** poetic; **die Dichtung** literature
dick fat, thick; **die Dicke** thickness
dienen serve; **der Diener, –s, –** servant; **der Dienst, –es, –e** service, position
dies this, the latter
das Diner, –s, –s dinner
das Ding, –(e)s, –e thing
direkt direct
doch yet, however, nevertheless, but
das Dorf, –(e)s, ·̈·er village
dort there
draußen outside
sich drehen change, turn
dumm stupid, dumb; **die Dummheit, –en** stupidity
dunkel dark; **die Dunkelheit** darkness
durch through, by
durchaus absolutely
durchbrechen, durchbrach, durchbrochen, durchbricht break through
durch-gehen elope
durchschnittlich average
(sich) duzen say „du" to

E

eben just; **ebenso** just as; **ebenso... wie** as well as
echt natural, genuine, real
die Ecke, –n corner
edel noble
die Ehe, –n marriage
die Ehre honor
eigen one's own, specific, individual
eigentlich actual, real
einander one another
einfach simple
ein-frieren, fror ein, eingefroren freeze; **eingefroren** frozen

ein-gießen, goß ein, eingegossen pour
einige some, several
ein-laden, lud ein, eingeladen invite; **die Einladung, –en** invitation
einmal one, (at) one time, (at) some time; **auf einmal** suddenly, all at once
ein-treten begin, enter (upon)
einverstanden sein mit agree to
der Einwohner, –s, – inhabitant
einzeln individual, single
einzig single
die Eisenbahn railroad
die Ellipse, –n ellipse, ellipsis
die Eltern parents
empfangen, empfing, empfangen, empfängt receive
empfinden, empfand, empfunden feel, sense
empor up, upwards, aloft
enden end; **das Ende, –s, –n** end; **endlich** finally
eng confined, narrow, confining; **die Enge** narrowness
enorm enormous
entdecken discover; **die Entdeckung, –en** discovery
entfernt distant, removed
entfliehen escape
entgegen towards
entgegen-stellen set up against, contrast with
entgehen get away from
enthalten, enthielt, enthalten, enthält contain
entsetzlich horrible, frightful
entstehen, entstand, ist entstanden come into being, arise, originate
(sich) entwickeln develop; **die Entwicklung, –en** development
die Epoche, –n epoch, age
erblicken see
die Erde earth, ground; **die Erdrinde** crust of the earth
erfahren, erfuhr, erfahren, erfährt find out, experience
erfinden make up, invent
der Erfolg, –(e)s, –e success
die Erfrischung, –en refreshment
erhalten, erhielt, erhalten, erhält receive, obtain, get
sich erheben rise
sich erinnern remember; **die Erinnerung, –en** memory
erkennen recognize, discern
erklären explain, declare; **sich erklären** account for; **die Erklärung, –en** explanation

erleben experience, have, see; **das Erlebnis, –ses, –se** experience
ernst serious; **der Ernst, –es** seriousness
erreichen reach
erscheinen, erschien, ist erschienen appear; **das Erscheinen, –s** appearance
erschrecken startle, frighten; **erschrecken, erschrak, erschrocken, erschrickt** be alarmed
erst first, only, not until; **erstens** first, in the first place
erstaunt astonished
erwachen awaken
erwarten expect, await; **die Erwartung, –en** expectation, anticipation
erwecken awaken
erweitern expand, extend; **die Erweiterung, –en** expansion, extension
erwidern answer, reciprocate
erzählen tell, narrate; **der Erzähler, –s, –** storyteller; **die Erzählung, –en** tale, story, narrative
erzeugen produce
essen, aß, gegessen, ißt eat; **das Essen, –s** meal
etwa about, approximately
etwas something, some, somewhat
europäisch European
existieren exist
exotisch exotic

F

fähig capable, able
fahren, fuhr, (ist) gefahren, fährt ride, go, travel; **die Fahrt, –en** trip
der Fall, –(e)s, ⁻e case
fallen, fiel, ist gefallen, fällt fall
falsch false, spurious
fangen, fing, gefangen, fängt capture, catch; **der Gefangene, –n, –n** prisoner
die Farbe, –n color
faseln talk drivel
die Fassung, –en version
fast almost
fein fine, excellent, refined
der Feind, –(e)s, –e enemy
das Feld, –(e)s, –er field
der Feldzug, –(e)s, ⁻e campaign
das Fenster, –s, – window
fern far, faraway; **die Ferne** distance, remoteness
fest firm, fast, solid

die **Festung**, –en fortress
das **Feuer**, –s, – fire
der **Film**, –(e)s, –e film, moving picture; **die Filmleute** moving picture people
finden, fand, gefunden find; **sich finden** be found
der **Fingernagel**, –s, ‥ fingernail
flach flat
die **Flasche**, –n bottle
fliehen, floh, ist geflohen flee, escape
fließen, floß, ist geflossen flow
die **Flotte**, –n fleet
der **Fluß**, –sses, ‥sse river
folgen follow; **folgendes** the following
formen form
fort-fahren continue
fort-setzen continue; **die Fortsetzung**, –en continuation
die **Frage**, –n question; **fragen** ask
der **Franzose**, –n, –n Frenchman
die **Frau**, –en woman, wife, lady, Mrs.
frei free; **die Freiheit** freedom
der **Freiherr**, –n baron
fremd strange, foreign
die **Freude**, –n pleasure, joy; **Freude an** delight in
sich freuen be glad
der **Freund**, –(e)s, –e friend; **freundlich** friendly
frieren, fror, gefroren freeze, be very cold
frisch fresh, lively, vigorous; **die Frische** freshness, liveliness
fröhlich cheerful, happy
die **Frucht**, ‥e fruit
früh early; **früher** former(ly)
das **Frühstück**, –s, –e breakfast, lunch
(sich) fühlen feel, sense
führen lead, take (one) to, guide; der **Führer**, –s, – guide
füllen fill, fill up
für for
die **Furcht** fear; **fürchten** fear
der **Fürst**, –en, –en prince
der **Fuß**, –es, ‥e foot

G

der **Galgen**, –s, – gallows
der **Gang**, –(e)s, ‥e course
ganz quite, entire, whole
gar at all
der **Garten**, –s, ‥ garden; der **Gärtner, s–, –** gardener

der **Gast**, –es, ‥e guest; **zu Gast sein** be a guest of
geben, gab, gegeben, gibt give; **es gibt** there is, there are, there exists, there exist
geboren born
gebrauchen use
die **Geburt**, –en birth
der **Gedanke**, –ns, –n thought, idea
das **Gedicht**, –(e)s, –e poem
die **Gefahr**, –en danger; **gefährlich** dangerous
gefallen, gefiel, gefallen, gefällt please
der **Gefangene**, –n, –n prisoner
das **Gefühl**, –(e)s, –e feeling, emotion; **gefühlsmäßig** emotional
gegen against, toward, about
das **Gegenstück**, –(e)s, –e counterpart
sich gegenüber-stehen face one another
geheim secret, in secret; **das Geheimnis**, –ses, –se secret, mystery
gehen, ging, ist gegangen go; **es geht um** it is a question of
gehören belong (to)
der **Geist**, –es, –er mind, intellect, spirit; **geistig** intellectual, spiritual
die **Geistersphäre**, –n sphere of spirits
das **Geld**, –(e)s, –er money
gelingen, gelang, ist gelungen succeed (in)
die **Gemahlin**, –nen wife
gemütlich cozy, congenial, pleasant
genau exact, precise
genießen, genoß, genossen enjoy, experience
genug enough
gerade just; straight
gern(e) gladly; like
geschehen, geschah, ist geschehen, geschieht happen, take place
das **Geschenk**, –s, –e present
die **Geschichte**, –n story, history
die **Gesellschaft**, –en society, party, group, company; **Gesellschaft leisten** keep company
das **Gesicht**, –es, –er face
die **Gestalt**, –en form, figure
gestehen confess
gesund healthy, in good health
das **Gewehr**, –(e)s, –e rifle, gun
das **Geweih**, –(e)s, –e antlers
das **Gewicht**, –(e)s, –e weight
gewinnen, gewann, gewonnen win, gain
gewiß certain
gewöhnlich usual, customary

das Glas, –es, ⁻er glass
glauben believe; **glauben an** believe in
gleich same, like, equal; right away, immediately
gleich-setzen equate (with)
das Glück, –(e)s happiness, luck; **glücklich**
  happy, lucky
die Gnade goodwill
(meine) Gnädig(st)e (most) gracious lady
das Goldstück, –(e)s, –e piece of gold
der Gott, –es, ⁻er God, god; **die Göttin, –nen**
  goddess; **göttlich** godlike, divine
der Gouverneur, –s, –s governor
der Graf, –en, –en count; **die Gräfin, –nen**
  countess
das Gras, –es grass
die Grenze, –n boundary, border; boundary
  line
der Grieche, –n, –n Greek; **griechisch** Greek
groß big, large, great
der Großadmiral, –s Admiral of the Fleet
großartig magnificent, marvelous, splendid
die Größe, –n size
grotesk grotesque
grün green
der Grund, –(e)s, ⁻e reason
gründen found, establish; **der Gründer, –s, –**
  founder
die Gruppe, –n group
die Guinee, –n guinea
die Gurke, –n cucumber
gut good, well
die Güte kindness

H

das Haar, –(e)s, –e hair
der Hafen, –s, ⁻ harbor
der Hagel, –s hail
halb half; **halbieren** cut in halves
die Hälfte, – n half
der Hals, –es, ⁻e neck
halten, hielt, gehalten, hält hold, stop, halt,
  keep; **halten für** consider (to be)
hämmern hammer
die Hand, ⁻e hand; **bei der Hand** at hand;
  zur Hand at hand, available; **die Handvoll**
  handful
hängen, hing, gehangen hang
der Hase, –n, –n rabbit, hare
hastig hasty, quick
Haupt– main, chief, principal; **die**
  Hauptsache, –n main thing
der Häuptling, –s, –e chieftain

der Hauptmann, –s, –leute captain
das Haus, –es, ⁻er house; **zu Hause** home;
  nach Hause home
die Haustür, –en house door
heben, hob, gehoben raise, lift
heftig violent, intense, passionate
die Heimat home; **die Heimatstadt, ⁻e** home
  town
die Heimatkunst regional literature
das Heimatland, –(e)s, ⁻er native country
heimlich secret
heiraten marry
heiß hot
heißen, hieß, geheißen be called, be named,
  mean
heiter amusing, cheerful, gay
der Held, –en, –en hero
helfen, half, geholfen, hilft help
hell light, bright
die Henne, –n hen
herab down
herauf up
herauf-ziehen pull up
heraus out
heraus-kommen come out, appear, be
  published
die Herde, –n herd
herein in
der Herr, –n, –en Lord, lord, master, Mr.,
  man, gentleman
herrlich marvelous, wonderful
herum around
herunter down
hervor-rufen call forth, evoke
das Herz, –ens, –en heart
heute today; **heute abend** tonight; **heutig**
  this time, modern, of the present time
hier here
die Hilfe help
der Himmel, –s sky, heaven
hinauf up
hinaus out
hinaus-gehen go beyond
hindurch through
hinein in
hin-gehen go over, go (there)
hinter behind, in back (of), rear
der Hintergrund, –(e)s, ⁻e background
das Hinterteil, –(e)s, –e back part
hinunter down
der Hirnschädel, –s, – skull
der Hirsch, –es, –e stag, deer

historisch historic(al)
hoch high
hoch-klettern climb up
hoffen hope
die Höhe height
die Hoheit highness
die Höhle, –n cave
der Holländer, –s, – Dutchman; **holländisch**
Dutch
(sich) holen get, catch
das Holz, –es wood
homerisch Homeric
der Honig, –s honey
horchen listen; **der Horcher, –s, –** listener
hören hear, listen
der Hügel, –s, – hill
der Hühnerhund, –(e)s, –e setter
der Hund, –(e)s, –e dog
hungrig hungry
der Hut, –(e)s, –̈e hat

I

idealisieren idealize
die Idee, –n idea
idyllisch idyllic
immer always
immerfort continually
immerzu constantly
Indien India; **indisch** Indian
informieren inform
der Inhalt, –s content
innen interior, inside
das Innere, –n inner, interior
innerlich inward, internal
die Insel, –n island
interessant interesting
das Interesse, –s, –n interest
irgendein some, any
irgendwelch some, any
ironisch ironic(al)
Italien, –s Italy; **italienisch** Italian

J

ja yes, indeed, after all, as a matter of fact;
jawohl yes indeed
die Jagd hunt; **jagen** hunt; **der Jäger, –s, –**
hunter
das Jahr, –(e)s, –e year; **–jährig** –year
das Jahrhundert –s, –e century
jammern whine, complain
japanisch Japanese
jeder each, every

jedoch however
jemand someone
jetzt now
die Jugend youth
jung young
der Junge, –n, –n boy

K

das Kabinett, –s, –e private room
der Kaiser, –s, – kaiser, emperor; **die Kaiserin,
–nen** empress; **kaiserlich** imperial
kalt cold; **die Kälte** cold
die Kammerzofe, –n chambermaid
der Kampf, –es, –̈e struggle, fight; **kämpfen**
fight, struggle
die Kanone, –n canon; **die Kanonenkugel, –n**
cannon ball
der Kapitän, –s, –e captain
kaufen buy, purchase
kaum scarcely, hardly
der Kazike, –n, –n chief
der Kegel, –s, – cone
kein no, not any
der Keller, –s, – cellar
kennen, kannte, gekannt know
kennen-lernen become acquainted with, get to
know
der Kerl, –(e)s, –e fellow
das Kind, –(e)s, –er child; **kindlich** childlike
die Kirche, –n church; **der Kirchturm, –(e)s, –̈e**
church tower
die Kirsche, –n cherry
klar clear, distinct
die Klasse, –n class
klassisch classic(al)
das Kleid, –(e)s, –er dress, clothes
klein small, little
die Kleinstadt, –̈e small town
das Klima, –s, –s climate
der Knabe, –n, –n boy
das Knie, –s, – knee
der Koch, –(e)s, –̈e cook; **kochen** cook
die Kohle, –n coal
kolossal colossal, huge
komisch comic(al)
kommen, kam, ist gekommen come, come about
die Komödie, –n comedy
kompliziert complicated
komponieren compose
der König, –s, –e king; **die Königin, –nen**
queen; **das Königreich, –(e)s, –e** kingdom
können, konnte, gekonnt, kann can, be able to

der Kopf, –es, ⸚e head
der Körper, –s, – body
kosmisch cosmic
kosten cost
köstlich precious, exquisite, excellent
das Kostüm, –s, –e costume, dress
die Kraft, ⸚e power, force, strength
krank sick
der Krater, –s, – crater
die Kreatur, –en creature, living being
der Kreis, –es, –e group, circle
das Kreuz, –es, –e cross
der Krieg, –(e)s, –e war
die Kritik, –en criticism, critique
die Kugel, –n cannonball, bullet; der
  Kugelritt, –s ride on the cannonball
die Kunst, ⸚e art; die bildende Kunst fine
  arts; der Künstler, –s, – artist;
  künstlerisch artistic
das Kunststück, –(e)s, –e trick
kurz short, brief; kurzum in short
die Küste, –n coast; der Küstenfelsen coastal
  cliff
die Kutsche, –n coach, carriage; der Kutscher,
  –s, – coachman

L

lächeln smile
lachen laugh
lächerlich ridiculous; ins Lächerliche ziehen
  make fun of, ridicule
laden, lud, geladen, lädt load, invite
das Lager, –s, – camp
die Lampe, –n lamp, light
das Land, –(e)s, ⸚er country, land
lang(e) long; eine Stunde lang for an hour
langsam slow
der Lärm, –(e)s noise
lassen, ließ, gelassen, läßt let, leave, permit;
  have; sich lassen can be
Latein, lateinisch Latin
der Lauf, –(e)s, ⸚e course
laufen, lief, ist gelaufen, läuft; run, walk; der
  Läufer, –s, – runner
die Laune mood, temper
laut loud
leben live; das Leben, –s, – life; das
  Lebensgefühl, –s feeling toward life
lebendig lively, alive
das Lebewesen, –s, – living being
lebhaft vivacious, lively, brisk
der Leib, –(e)s, –er body

legen lay, put, place; add; sich legen lie down
leicht easy, light
leid tun; es tut mir leid I am sorry; leiden, litt,
  gelitten suffer; das Leiden, –s, – suffering
leider unfortunately
leise soft, low, gentle
die Leistung, –en achievement
lesen, las, gelesen, liest read; der Leser, –s, –
  reader
letzt last
die Leute people
der Leutnant, –s, –s lieutenant
das Lexikon, –s –ka lexicon, dictionary
licht light, bright; das Licht, –(e)s, –er light
lieb dear, dear old
die Liebe love; lieben love
der Liebhaber, –s, – lover, admirer, devotee
liegen, lag, gelegen lie, be located, be situated,
  be; liegen an depend on
die Linie, –n line
link left; links to the left
litauisch Lithuanian
literarisch literary
das Loch, –(e)s, ⸚er hole
der Lorbeer, –s, –en laurel
der Löwe, –n, –n lion
die Luft air
der Luftballon, –s, –s balloon
die Lüge, –n lie; lügen, log, gelogen lie; die
  Lügendichtung, –en literature of obvious
  lies; die Lügenerzählung, –en tale of obvious
  lies; der Lügenbaron, –s baron who told
  obvious lies; der Lügner, –s, – liar
lustig lively, amusing, jovial, gay
der Luxus, – luxury, de luxe

M

machen (zu) make; do
das Mädchen, –s, – girl
der Magen, –s, ⸚ stomach; die
  Magenschmerzen (pl.) stomach-ache
magisch magic(al)
der Mais corn
die Majestät, –en majesty
das Mal, –(e)s, –e time(s); –mal times; mal
  some time, (at) one time
malen paint; der Maler, –s, – painter
man one, you, they, people
manch many a; manche some
manchmal sometimes
die Mandel, –n almond (tree)
der Mann, –(e)s, ⸚er man, husband

männlich male
das Märchen, –s, – fairy tale
der Marktplatz, –es, ⁓e marketplace
der Mast, –es, –e mast
der Mastbaum, –(e)s, ⁓e mast
materialistisch materialistic
der Matrose, –n, –n sailor
das Maul, –(e)s, ⁓er mouth
mechanisch mechanical
das Meer, –(e)s, –e sea, ocean; der
  Meeresboden, –s bottom of the sea
mehr more; nicht mehr no longer
mehrere several, some
die Meile, –n mile
meinen mean, think, say; die Meinung, –en
  opinion, view
meist most
der Meister, –s, – master, champion
melancholisch melancholy
die Melodie, –n melody
der Mensch, –en, –en man, human being;
  menschlich human; die Menschheit
  humanity; die Menschlichkeit humanness,
  humaneness
merkwürdig remarkable, strange
das Messer, –s, – knife
das Metall, –s, –e metal; die Metallplatte, –n
  metal sheet, metal plate; die Metallwand, ⁓e
  metal wall
die Milch milk
militärisch military
das Ministerium, –s, –ien ministry
mißverstehen misunderstand
mit with, along
mit-bringen bring along
miteinander with one another
das Mitglied, –s, –er member
mittags at noon
das Mittelmeer, –s Mediterranean
die Mitte middle
der Mittelpunkt, –(e)s, –e center, central point
mitten in in the middle of
mitunter sometimes, occasionally
möglich possible; die Möglichkeit, –en
  possibility
der Mond, –(e)s, –e moon; der Mondschein, –s
  moonlight
moralisieren moralize
morgen tomorrow
der Morgen, –s, – morning; morgens in the
  morning
das Motiv, –s, –e motive, motif

müde tired
der Mund, –(e)s, ⁓er mouth
müssen, mußte, gemußt, muß must, have to
das Muster, –s, – pattern
der Mut, –(e)s courage
die Mutter, ⁓ mother
mythisch mythical; mythisieren mythicize;
  der Mythos, – myth

N

nach after, to, toward, according to
nachdem after
nach-denken think about
nachher later, afterwards
der Nachmittag, –s, –e afternoon
nächst next
die Nacht, ⁓e night
der Nagel, –s, ⁓ nail
nah close, nearby
die Nähe nearness, vicinity; in der Nähe
  close by
Näheres details
die Naivität naïveté
der Name, –ns, –n name, title
nämlich namely, you see, as a matter of fact
der Narr, –en, –en fool, buffoon
die Nase, –n nose
das Nasenloch, –(e)s, ⁓er nostril
die Nationalhymne, –n national anthem
natürlich natural
der Nebel, –s, – fog, haze, mist
neben beside, next to
nehmen, nahm, genommen, nimmt take; zu sich
  nehmen have, take
nein no
nennen, nannte, genannt call
der Nerv, –s, –en nerve
neu new; von neuem again, anew
nicht not
nichts nothing; nichts als nothing but
nie never
nieder down; sich nieder-setzen sit down
niemals never
niemand no one, nobody
nirgends nowhere
noch still, yet, even; immer noch still; noch
  ein one more, another; noch einmal once
  more; noch mehr more, even more; noch
  nicht not yet; noch nie never, never before;
  wer noch who else
nordamerikanisch North American
der Norden, –s north; nördlich northern

Nordost northeast
nordwestlich northwest
die Note, –n tone
das Notizbuch, –(e)s, ˙˙er notebook
notwendig necessary
nun now; well
nur only
die Nuß, ˙˙sse nut

O

ob if, whether
oben upstairs; on top
ober upper
obwohl although
oder or
offen open
(sich) öffnen open
öffentlich public
der Offizier, –s, –e officer
oft often
ohne without
ohnmächtig unconscious
das Ohr, –(e)s, –en ear
der Onkel, –s, – uncle
die Ordnung order
der Osten, –s east
Österreich Austria
Ostindien East India

P

das Paar, –(e)s, –e couple; **paar** few, couple
der Palast, –es, ˙˙e palace
das Papier, –s, –e paper
das Parfüm, –s, –s perfume
die Parodie, –n parody; **parodieren** parody
der Paß, –sses, ˙˙sse pass
die Peitsche, –n whip
persönlich personal
das Pferd, –(e)s, –e horse
die Pflanze, –n plant; **pflanzen** plant
pflücken pick
das Pfund, –(e)s, –e pound
das Phänomen, –s, –e phenomenon
die Phantasie imagination, phantasy; **Phantasie-** imaginary; **phantastisch** fantastic
der Philosoph, –en, –en philosopher
der Platz, –es, ˙˙e place, position, role, square
plötzlich suddenly
plump clumsy
Polen Poland
der Politiker, –s, – politician

politisch political
der Posten, –s, – post, position
die Postkutsche, –n stagecoach
der Puls, –es, –e pulse
der Punkt, –es, –e point, on the dot
pünktlich punctual

R

der Rachen, –s, – mouth, jaws
das Rad, –(e)s, ˙˙er wheel
rammen ram
der Rat, –(e)s advice; **raten, riet, geraten, rät** advise; guess
das Rathaus, –es, ˙˙er town hall
der Rauch, –(e)s smoke; **rauchen** smoke
der Raum, –(e)s, ˙˙e room
real real, actual, substantial
die Realität reality
das Rebhuhn, –s, ˙˙er partridge
recht right, real; **recht haben** be right; **das Recht, –(e)s, –e** right; **rechts** to the right
reden talk, speak
regieren rule, reign
reich rich, abundant
reif ripe
rein pure, undiluted
reinigen clean
die Reise, –n trip, travel; **eine Reise machen** take a trip; **reisen** travel; **der Reisende, –n, –n** traveler
reißen, riß, gerissen tear
reißend rapid
reiten, ritt, ist geritten ride; **der Reiter, –s, –** rider
der Reiz, –es, –e charm
das Resultat, –s, –e result
retten save
richtig right, correct
der Riese, –n, –n giant; **Riesen–** huge; **riesig** huge, gigantic
der Ritter, –s, – knight
der Rittmeister, –s, – cavalry captain
rollen roll
der Roman, –s, –e novel
rot red
der Rücken, –s, – back
die Rückkehr return
rückwärts backward
rufen, rief, gerufen call, cry, shout
ruhig calm, composed, quiet
rund round
russisch Russian; **Rußland** Russia

S

die Sache, –n affair, matter
sagen say, tell
sammeln collect, gather
die Sammlung, –en collection
Sankt Saint
satirisch satirical
sauer sour
das Schaf, –(e)s, –e sheep
schaffen, schuf, geschaffen create; der
  Schaffende, –n, –n creative person
die Schale, –n shell
scharf sharp
der Schatten, –s, – shadow, shade
der Schatz, –es, ⁻e treasure
die Schatzkammer, –n treasury
der Schatzmeister, –s, – treasurer
scheinen, schien, geschienen shine, seem
schenken give
der Scherz, –es, –e joke
schicken send; schicken nach send for
schießen, schoß, geschossen shoot
das Schiff, –(e)s, –e ship
schildern describe, portray; die Schilderung,
  –en description, portrayal
schlafen, schlief, geschlafen, schläft sleep; das
  Schlafwunder, –s miracle of sleep
schlagen, schlug, geschlagen, schlägt strike,
  beat, hit
schlecht bad, poor, inferior
schleichen, schlich, ist geschlichen creep, sneak
die Schleuder, –n sling
schließen, schloß, geschlossen close, lock, end
schließlich finally
schlimm bad; schlimmer worse
schlingen, schlang, geschlungen tie, wind
der Schlitten, –s, – sled, sleigh
das Schloß, –sses, ⁻sser castle
schmal narrow, small, slender
schmecken taste
schnell fast; die Schnelligkeit speed
schon already, all right
schön beautiful, handsome, nice, fine
schöpferisch creative
der Schrecken, –s fright, fear
schrecklich terrible, frightful
schreiben, schrieb, geschrieben write
schreien, schrie, geschrien cry, scream
der Schriftsteller, –s, – writer
der Schuh, –(e)s, –e shoe
der Schuß, –sses, ⁻sse shot

der Schütze, –n, –n sharpshooter
der Schwabe, –n, –n Suabian; Schwaben
  Suabia
schwach weak; die Schwäche weakness
der Schwanz, –es, ⁻e tail
schwarz black
der Schwarzkünstler, –s, – magician
schweigen, schwieg, geschwiegen be silent, be
  quiet
schwer difficult, hard, heavy
schwimmen, schwamm, geschwommen swim;
  der Schwimmer, –s, – swimmer
der Schwindel, –s swindle, fraud; der
  Schwindler, –s, – swindler, fraud
der Schwindelgeist, –(e)s spirit of fraud
schwingen, schwang, geschwungen swing
die See, –n sea, ocean
die Seele, –n soul
die Seeleute sailors
das Segel, –s, – sail
sehen, sah, gesehen, sieht see, look
die Sehnsucht yearning, longing
sehr very, very much
die Seife, –n soap
das Seil, –(e)s, –e rope
seit since, for
die Seite, –n side
die Sekunde, –n second
selber, selbst self; selbst even
selbständig independent
selbstverständlich of course, obvious, self-
  evident
die Seligen (pl.) blessed
seltsam strange
senden, sandte, gesandt send
setzen put, set, place; sich setzen sit down
sicher certain, sure
das Silber, –s silver; silbern silver
der Sinn, –(e)s meaning, sense
die Sitte, –n custom
sitzen, saß, gesessen sit
Sizilien Sicily
der Sklave, –n, –n slave
sobald as soon as
sofort immediately
sogar even
sogenannt so-called
sogleich immediately
der Sohn, –(e)s, ⁻e son
solange as long as
solch such
der Soldat, –en, –en soldier

sollen, sollte, gesollt, soll should, be to, be supposed to, ought to
der Sommer, –s, – summer
sonderbar strange
sondern but
die Sonne, –n sun
sonst otherwise
souverän sovereign
sowie as well as
Spanien Spain; **der Spanier, –s, –** Spaniard; **spanisch** Spanish
spät late
die Speise, –n food; **das Speisezimmer, –s, –** dining room
der Spiegel, –s, – mirror; **sich spiegeln** be mirrored, be reflected
spielen play; take place
spitz pointed
die Sprache, –n language
sprechen, sprach, gesprochen, spricht speak, talk
springen, sprang, ist gesprungen jump, spring; **der Springer, –s, –** jumper
der Sprößling, –s, –e sprout
der Sprung, –(e)s, ⁻e jump
der Staat, –(e)s, –en state, nation
die Stadt, ⁻e city
stark strong, violent, severe, vigorous
statt instead, in the place of
staunen be astonished
stecken stick, be, put
stehen, stand, gestanden stand, be, be written
stehen-bleiben stop, remain standing
stehlen, stahl, gestohlen, stiehlt steal
steigen, stieg, ist gestiegen rise, climb
der Stein, –(e)s, –e stone
die Stelle, –n place, spot, part; **stellen** place, put
die Stellung, –en position
sterben, starb, ist gestorben, stirbt die
der Stern, –(e)s, –e star
stets always
still still, quiet, silent
der Stillstand, –(e)s standstill
still-stehen stand still, do nothing
die Stimme, –n voice
der Stock, –(e)s, ⁻e stick
der Stoff, –(e)s, –e body, substance, theme, subject
stolz proud; **der Stolz, –es** pride
stottern stutter
die Straße, –n street, road

der Streit, –(e)s, –e quarrel; **streiten, stritt, gestritten** quarrel
streng severe, strict
der Strick, –(e)s, –e rope
das Stroh, –(e)s straw
der Strom, –(e)s, ⁻e stream
das Stück, – (e)s, –e piece
studieren study
der Stuhl, –(e)s, ⁻e chair
die Stunde, –n hour
der Sturm, –(e)s, ⁻e storm
der Sturz, –es, ⁻e fall, crash
suchen look for, seek
süd south; **der Südpol, –s** South Pole
der Sumpf, –es, ⁻e marsh
symbolisch symbolic(al)

T

der Tag, –(e)s, –e day; **tagelang** lasting days; **täglich** daily
die Tante, –n aunt
die Tasche, –n pocket
die Tat, –en deed, action; **in der Tat** indeed; **tätig** active
die Technik technology, technique; **der Techniker, –s, –** technologist, technician; **technisch** technical
der Tee, –s tea; **das Teezimmer, –s, –** room (in which tea is served)
der Teil, –(e)s, –e part, portion; **zum Teil** partly
teil-nehmen take part
das Teleskop, –s, –e telescope
die Tendenz, –en tendency
die Terrasse, –n terrace
der Teufel, –s, – devil
das Thema, –s, Themen theme, subject
der Thron, –(e)s, –e throne
tief deep, low
das Tier, –(e)s, –e animal
der Tisch, –es, –e table
der Titel, –s, – title, name
toben go wild
die Tochter, ⁻er daughter
der Tod, –es death
der Tokaier, –s Tokay (wine)
der Ton, –(e)s, ⁻e sound, tone
das Tor, –s, –e gate
tot dead
töten kill
tragen, trug, getragen, trägt carry, wear, have
tragisch tragic

der Traubenkern, –(e)s, –e grape seed
der Traum, –(e)s, ⁻̈e dream; träumen dream, imagine; der Träumer, –s, – dreamer
traurig sad
treffen, traf, getroffen, trifft meet, hit
treiben, trieb, (ist) getrieben drive, drift, propel
trennen separate, disconnect, divide
die Treppe, –n stair, stairway
treten, trat, ist getreten, tritt step, move; treten in enter
trinken, trank, getrunken drink
trotz in spite of
trotzdem nevertheless
tun, tat, getan, tut do
die Tür, –en door
der Türke, –n, –n Turk; die Türkei Turkey; türkisch Turkish
der Turm, –(e)s, ⁻̈e tower
typisch typical
der Tyrann, –en, –en tyrant

U

über over, above, across, about, super
überall everywhere
überhaupt at all, in general
überleben survive, outlive
der Übermensch, –en, –en superman; übermenschlich superhuman; die Übermenschlichkeit superhumanness
übernehmen take over
übersehen see, take in at a glance
übertreiben exaggerate; die Übertreibung, –en exaggeration
übertrumpfen trump, outdo
überwinden, überwand, überwunden overcome; die Überwindung overcoming, conquest
üblich usual, customary
das Ufer, –s, – shore, bank
die Uhr, –en watch, clock, o'clock
um around, at; um... zu in order to
(sich) umarmen embrace
um-blasen blow over
sich um-blicken look around
umkrempeln change thoroughly; turn things upside down
der Ungar, –n, –n Hungarian; ungarisch Hungarian; Ungarn Hungary
das Ungeheuer, –s, – monster; ungeheuer enormous, monstrous
ungern unwillingly, reluctantly
unglaublich incredible
das Unglück, –(e)s misfortune, unhappiness

die Universität, –en university
unten below, downstairs, down
unter under, among, below; unterst lowest
untereinander among one another
der Unterschied, –(e)s, –e difference
untersuchen examine, analyze; die Untersuchung, –en examination, analysis
unzählig countless
das Urbild, –(e)s, –er prototype
die Urkunde, –n document
utopisch utopian

V

der Vater, –s, ⁻̈ father
sich verändern change
verbrennen, verbrannte, verbrannt burn
das Verdienst, –es, –e contribution, merit
verehrt dear and revered
verfolgen pursue, follow
die Vergebung forgiveness
vergessen, vergaß, vergessen, vergißt forget
der Vergleich, –(e)s, –e comparison; vergleichen, verglich, verglichen compare
verkaufen sell
verlassen, verließ, verlassen, verläßt leave
verlieren, verlor, verloren lose
vermehren um augment by, increase by
vermissen miss, be missing
die Vernunft reason
der Vers, –es, –e verse, poetry
verschieden different
verschlingen, verschlang, verschlungen consume, eat
versetzen answer
versprechen promise
das Verständnis, –ses understanding
versuchen try, attempt; der Versuch, –(e)s, –e attempt
sich verwandeln be transformed, change
der Verwandte, –n, –n relative
verzeihen, verzieh, verziehen forgive
verzweifelt desperate, extreme
viel much; viele many
vielleicht perhaps
vielmehr rather
das Viertel, –s, – quarter
der Vogel, –s, ⁻̈ bird
das Volk, –(e)s, ⁻̈er people
voll full, full of, fast
vollenden finish, make complete
von of, from, by; von ... aus from
vor before, in front of; ago; vor allem above all

vorbei by, past, over

das Vorderteil, –(e)s, –e front part

der Vorfahr, –s, –en ancestor

vor-führen present, produce; **die Vorführung, –en** presentation

vorhanden available, at hand

vorher before

der Vormittag, –s, –e morning, forenoon; **vormittags** in the morning

der Vorname, –ns, –n first name

der Vorschlag, –s, ⁻e suggestion, proposal; **vor-schlagen** suggest, propose

die Vorstellung, –en idea, conception, mind, performance

vorwärts forward

der Vulkan, –s, –e volcano

W

wach awake

wachsen, wuchs, ist gewachsen, wächst grow

wagen dare, risk, venture

der Wagen, –s, – wagon, coach, car

wahr true; **nicht wahr?** isn't that so? **die Wahrheit, –en** truth

während during; while

wahrscheinlich probable

der Wald, –(e)s, ⁻er forest, woods

die Wand, ⁻e wall

sich wandeln change; **die Wandlung, –en** change, transformation

wann when

warten wait; **warten auf** wait for

warum why

was what, whatever; something

was für what kind of

das Wasser, –s water

die Wechselwirkung, –en reciprocal effect

wecken awaken

weder ... noch neither ... nor

weg away; **der Weg, –(e)s, –e** way, road, path

wegen because of, on account of

weil because

die Weile while

der Wein, –(e)s, –e wine

weinen cry, weep

die Weise, –n manner, way

weiß white

weit far; wide, extensive; **weiter** farther, further, on, continue to; **und so weiter** and so forth

welch which, what

die Welt, –en world

die Weltausstellung, –en world's fair

der Weltmann, –es man of the world

wenig little; **wenige** few; **weniger** less

wenn when, if, whenever

wer who, whoever, he who

werden, wurde, ist geworden, wird (zu) become, turn out, be

werfen, warf, geworfen, wirft throw, cast

das Werk, –(e)s, –e work

der Wert, –es, –e value, worth, importance

das Wesen, –s, – essence, being

die Wette, –n bet, wager; **wetten** bet, wager

das Wetter, –s weather

(einen) Wettstreit austragen have a contest

wichtig important

wie how, as, like

wieder again

wiederholen repeat; **die Wiederholung, –en** repetition

die Wiese, –n meadow

das Wild, –(e)s game

das Wildschwein, –s, –e wild boar

der Windmacher, –s, – wind maker

die Windmühle, –n windmill

wirken have an effect, work; **die Wirkung** effect, working, consequence

wirklich real; **die Wirklichkeit** reality

die Wirtin, –nen landlady

wissen, wußte, gewußt, weiß know

die Wissenschaft, –en learning, scholarship, science

wittern scent

der Witz, –es, –e wit, joke; **witzig** witty

wo where

die Woche, –n week

wohin where, where to

wohl well; probably, no doubt

wohnen live; **die Wohnung, –en** (place of) residence

die Wolke, –n cloud

wollen, wollte, gewollt, will, want to, claim to, will

das Wort, –(e)s, –e, ⁻er word

wozu for what purpose

das Wunder, –s, – wonder, magic, miracle; **sich wundern** wonder, be astonished

wunderbar wonderful, marvelous, miraculous

der Wunsch, –es, ⁻e wish, desire; **wünschen** wish, desire

wütend furious

die Wurzel, –n root; **Wurzel schlagen** take root; **wurzeln in** be rooted in

Z

die Zahl, −en number
zahlen pay
der Zahn, −(e)s, ⸚e tooth
das Zeichen, −s, − signal, sign
zeigen show (one)
die Zeit, −en time, age; zeitlos timeless
der Zeitgeist, −es spirit of the time
die Zeitung, −en news, newspaper
zerstören destroy
ziehen, zog, gezogen pull, draw, take off, go,
  move
das Zimmer, −s, − room
zu to, toward, at; too
zuerst at first, first of all
zufrieden satisfied, content

zu-hören listen (to); der Zuhörer, −s, − listener
der Zug, −(e)s, ⸚e feature, trait; train
die Zukunft future
zunächst first, to begin with
zurück-bleiben remain behind
zurück-kehren return
zu-rufen call to, shout
die Zusage, −n acceptance
zusammen together
zusammen-hängen be connected with
zu-trinken drink to
zwar to be sure, of course
der Zweifel, −s, − doubt; zweifeln doubt
der Zweig, −(e)s, −e branch
zwischen between, among
zynisch cynical; der Zynismus, − cynicism